D1325732

Schaduwmonsters

In de serie *Ik Ben Niet Bom!* zijn verschenen:

Monique van der Zanden:
    De Bloedsteen
    Koerier van de Rover
    Schaduwmonsters
    De Vuurwolf

Marion van de Coolwijk:
    Avontuur in Amerika
    Gevaar op zee
    Het geheim van ridder Leander
    Ik ben niet bom!
    Mijn vader is een tovenaar
    Vet beroemd!

Ik
ben
niet
bom!

Spannende
boeken

Makkelijk
lezen

Monique van der Zanden

Schaduwmonsters

De Fontein

www.defonteinkinderboeken.nl

Voor iedereen die AVI-M4 of hoger beheerst

© 2009 Monique van der Zanden
Voor deze uitgave:
© 2009 Uitgeverij De Fontein, Baarn
Omslagafbeelding en illustraties: Ruud Bruijn
Omslagontwerp: Mark van Wageningen
Grafische verzorging: Scriptura, Westbroek

ISBN 978 90 261 2570 6
NUR 286

Gevaar!

Het is nacht.
Alle mensen in de oude stad Volt slapen.
De rijken in hun deftige woningen.
De armen in hun armoedige huisjes.
In de donkere straten is het mistig en koud.
Een late koets ratelt over de keien.
Een rat snuffelt tussen het afval in de goot.
Hatsjie! klinkt het opeens.
De rat schrikt en springt weg.
Hatsjie! klinkt het weer.
De nies komt van een magere jongen.
Hij zit in een steegje op de keien,
leunend tegen de kille muur.
Bibberend duikt hij dieper in zijn jas.
Nou word ik nog verkouden ook, denkt hij.
Hij knijpt zijn kriebelende neus stevig dicht.

De magere jongen is Tamal.
Hij is twaalf jaar.
Zijn ouders stierven toen hij twee jaar was.

Tamal moest naar een weeshuis.
Op zijn vijfde verjaardag werd hij verkocht.
Hij moest gaan werken bij een schoenmaker.
De hele dag moest hij schoenen naaien.
Zodra de zon opkwam, moest hij beginnen.
Pas als het donker werd, mocht hij stoppen.
Zijn nek en handen deden altijd pijn.
Hij moest slapen op de harde grond.
En hij kreeg meer klappen dan eten.
Op zijn tiende verjaardag had Tamal er genoeg van.
Midden in de nacht liep hij weg.
Vanaf die tijd leeft hij op straat.
Hij slaapt nog steeds op de grond.
Zijn maag is nog steeds hol en leeg.
Maar hij is tenminste zijn eigen baas.
Hij heeft een heel grote wens.
Hij wil de machtigste man van het land worden!

Hatsjie! niest Tamal nog een keer.
Het is niet het enige geluid in het donker.
Een eindje verderop ritselt er iets.
Tamal kijkt met een ruk op.
Hij tuurt naar de ingang van de steeg.
Is dat de rat weer?
Of sluipt daar iemand?
Het is 's nachts gevaarlijk in Volt.
Er loeren dieven en moordenaars.
De politie jaagt op straatjongens.
Als je op straat slaapt, moet je goed oppassen!
De berg afval in de goot beweegt.
Een roestig blik rolt over straat.
Het maakt een enorm kabaal in de stille nacht.
Tamal lacht opgelucht.

Het is de rat maar.
Die is terug en wroet in de berg op zoek naar eten.
Dan kan hij lang wroeten.
Tamal heeft de berg al doorzocht.
Hij vond een korst brood en een klokhuis.
Het brood was beschimmeld,
maar het vulde tenminste zijn maag.
Tamal gooit een steen naar de rat.
'Vort, stom beest.
Maak dat je wegkomt.
Ik kan niet slapen van je lawaai.'
Opeens verstijft hij.
Hij wrijft zijn ogen uit.
Wat is dat?
Glijdt daar een zwarte schim?
Daar, bij de afvalhoop?
Tamal voelt zijn nek prikken.
Dreigt er tóch gevaar?
Snel krabbelt hij overeind.
Hij houdt zijn adem in.
De schim glijdt van links naar rechts.
Hij zoekt een slachtoffer, denkt Tamal.
Sommige mensen moorden voor hun lol.
De schim heeft vast een mes.
En als hij Tamal ontdekt…
Tamal drukt zijn rug tegen de muur.
Hij maakt geen enkel geluid.
Als de schim hem hoort, is hij er geweest!
Opeens begint Tamals neus weer te kriebelen.
Voor hij hem kan dichtknijpen, gebeurt het:
Hatsjie!

Een monster van schaduw

Tamals nies galmt tussen de muren.
Met een ruk draait de schim zich naar het geluid.
De mist kolkt woest om hem heen.
Dreigend komt hij de steeg in.
Tamal weet dat hij niet kan ontsnappen.
Achter hem loopt de steeg dood.
In paniek grabbelt hij naar een wapen.
Tussen de rommel op de grond ligt een paaltje.
Het is ergens vanaf gebroken.
Tamal raapt het op.
Hij klemt het in zijn vuist.
'Kom maar op!' schreeuwt hij schor.
'Ik sla je tot moes!'
De schim geeft niets om het dreigement.
Hij zweeft in de richting van Tamal.
Maar er is iets raars met hem.
Hij maakt geen enkel geluid.
Hij vloekt niet.
Hij grinnikt niet gemeen.
Er klinken zelfs geen voetstappen.

Wat is dat voor aanvaller?
Hij lijkt niet op een schurk van vlees en bloed.
Hij lijkt op een wolk zwarte duisternis,
een monster van schaduw.
En het monster groeit.
Terwijl Tamal kijkt, wordt het groter en breder.
Het steekt als een toren boven Tamal uit.
Algauw vult het de hele steeg.
Dat kan niet, denkt Tamal.
Ik droom!
Ik ben in slaap gevallen
en nu heb ik een nachtmerrie.
Hoe moet ik vechten tegen een nachtmerrie?
Zijn benen zijn loodzwaar.
Zijn hart bonst in zijn keel.
Het paaltje valt uit zijn handen.
Het schaduwmonster buigt zich over hem heen.
Tamal schreeuwt het uit.
Zwarte duisternis vult zijn ogen en oren.

Tamal ontmoet De Rat

Tamal begrijpt er niets van.
Wat is er gebeurd?
De steeg is verdwenen.
Om hem heen is het inktzwart
Nergens ziet hij licht.
Hij lijkt wel blind!
Bang strekt hij zijn hand uit.
Hij voelt niets.
Maar waar zit hij dan op?
Op niets.
Hij voelt geen wanden en geen bodem.
Toch is hij gevangen.
Gevangen in het pikkedonker.
Tamal voelt hoe het donker beweegt.
Opeens snapt hij het.
Hij hapt naar adem.
Hij zit ín het schaduwmonster!
Het monster heeft hem opgeslokt.
En nu sleurt het hem met zich mee.
'Laat me eruit!' gilt Tamal in paniek.

Zijn stem klinkt raar, alsof die verpakt is in watten.
Hij slaat en schopt om zich heen.
Maar er verandert niets.
Hij kan niet weg uit de spookachtige gevangenis.
Schommelend glijdt hij door de nacht.
De tocht lijkt eindeloos.
Tamal is doodsbang.
Het lijkt alsof de duisternis wel duizend kilo weegt.
Hij drukt op Tamals borst.
Tamal krijgt geen adem meer.
'Laat me eruit,' snikt hij.
Opeens begint alles te golven.
Tamal voelt hoe hij door een tunnel glijdt.
Dan valt hij hard op de grond.
De schaduw heeft hem uitgespuugd.

'Welkom, welkom,' zegt een opgewekte stem.
Tamal knippert met zijn ogen.
Verward kijkt hij om zich heen.
Het is hier lichter dan in de buik van het monster,
maar het is nog steeds schemerdonker.
Voor zijn neus flakkert een toorts.
Hij staat in een kamer met stenen muren.
De vloer is bedekt met smerig stro.
In het midden staat een houten tafel.
Er staan twaalf stoelen omheen.
Eén stoel lijkt wel een troon.
Tamal vraagt zich af waar hij is.
Niet in een paleis!
De muren zitten vol paddestoelen.
Hij ziet tunnels naar alle kanten verdwijnen.
Er hangt een walgelijke stank.
Opeens ziet hij drie jongens staan.

Ze zien er net zo armoedig en bang uit als hij.
Daar klinkt de stem weer:
'Ze noemen mij De Rat.
Wie ben jij?'
Er stapt een man naar voren.
Het is een kleine man, maar hij ziet er erg stoer uit.
Hij draagt een uniform met gouden knopen.
Op zijn borst hangt een rij medailles.
En op zijn hoofd heeft hij een pet met glimmende klep.
'Ik heet Tamal,' zegt Tamal.
'Waar ben ik?'
De man in uniform glimlacht.
Hij steekt zijn borst trots vooruit.
'Je bent in het oude riool van de stad Volt.
Het wordt niet meer gebruikt.
Alle ingangen zijn dichtgemetseld.
Maar ik heb ze opengemaakt.
Dit is mijn Rijk van Schaduw!'
Tamal fronst zijn wenkbrauwen.
'Wat is een Rijk van Schaduw?'
'Let maar eens op,' zegt De Rat geheimzinnig.
Hij knipt met zijn vingers.
Achter Tamal is een beweging.
Daar komt het schaduwmonster weer aan!
Tamal schreeuwt en springt opzij.
Maar het monster valt hem niet aan.
Als een zwarte schim glijdt hij naar een donkere hoek.
Daar zit een jongen op de vloer.
Tamal had hem nog niet gezien.
De jongen zit doodstil.
Hij heeft een spierwit gezicht.
Zijn ogen zijn dicht.
De schaduw gaat recht op hem af!

Duister Kruid

De monsterlijke schaduw buigt zich over de jongen.
'Pas op!' gilt Tamal.
De Rat lacht.
'Niets aan de hand,' grinnikt hij.
'Nu leer je het geheim van mijn schaduwen kennen.'
Met grote ogen kijkt Tamal toe.
De schaduw verandert opeens in een zwarte mist.
De mist begint razendsnel rond te tollen.
Hij vormt een hoge, zwarte draaikolk.
Opeens komt die los van de grond.
Hij zweeft naar de jongen…
en verdwijnt in zijn neusgat!
Tamals mond valt open.
De jongen knippert met zijn ogen.
Er komt kleur op zijn wangen.
Hij staat op en zegt: 'Hallo.'

'Goed gedaan, Timo,' zegt De Rat tevreden.
'Je hebt maar liefst vier nieuwelingen meegebracht.
Je kunt nu gaan eten.'

Timo loopt in de richting van een van de tunnels.
Bij Tamal en de andere jongens blijft hij even staan.
'Sorry dat ik jullie heb laten schrikken,' grinnikt hij.
'Als schaduw ben ik nogal monsterlijk.'
Wanneer Timo verdwenen is, stottert Tamal:
'Was… was hij de schaduw?'
'Nou en of,' grijnst De Rat.
'Ga maar eens zitten.
Ik wil jullie iets vertellen.'
Hij wijst naar de stoelen rond de tafel.
Terwijl Tamal gaat zitten, bekijkt hij de anderen.
Ze zijn mager en vuil.
Net als hij hebben ze kleren vol gaten aan.
Zij zijn ook straatjongens, denkt Tamal.
Het lijkt wel alsof De Rat zijn gedachten raadt.
'Jullie zijn allemaal straatjongens,' zegt hij.
'Hugo, Boy, Adam en Tamal.
De rijken in Volt haten jullie als de hel.
Ze vinden jullie bedelaars en dieven.
Ze zeggen dat jullie hun mooie stad verpesten.'
Hugo en Boy knikken.
Tamal zegt kwaad:
'De politie probeert ons te vermoorden.'
'Precies,' zegt De Rat.
'Zo luidt hun opdracht van de burgemeester.
Is het niet walgelijk?
Grote mensen horen voor kinderen te zorgen.
Zeker voor kinderen die geen thuis hebben.
Maar in plaats daarvan jagen ze op jullie.'
Adam springt boos op.
'Het zijn smeerlappen,' roept hij.
'Ze slaan ons met knuppels,' gilt Boy.
'Of ze zetten ons in een tehuis,' bromt Tamal.

15

'En dan worden we verkocht aan een baas.'
De Rat gaat verder: 'Wat gaan jullie eraan doen?'
De straatjongens kijken elkaar beteuterd aan.
Tamal haalt zijn schouders op.
'Niks natuurlijk,' zegt hij.
'We kunnen niks doen.
Die lui in Volt zijn veel machtiger dan wij.'
De Rat trekt een sluw gezicht.
'Nu niet meer,' zegt hij.
'Ik wil jullie helpen.
Daarom heb ik jullie hierheen gehaald.
Het wordt tijd dat we het de lui in Volt betaald zetten.
Dat kan met Duister Kruid.'
'Wat is dat?' vraagt Adam nieuwsgierig.
'Nooit van gehoord,' zegt Hugo.
'Natuurlijk niet,' zegt De Rat
'Ik heb het ontdekt!
Wie Duister Kruid eet, verhuist naar zijn schaduw.
Jullie hebben gezien wat er met Timo gebeurde.
Zijn lijf was in het riool.
Ondertussen dwaalde zijn schaduw rond in Volt.
Zijn schaduw haalde jullie op.'
De Rat laat zijn stem dalen.
'Zouden jullie dat niet willen?
Een schaduw kan hoger worden dan een huis.
Maar hij kan ook krimpen en door een kier glijden.
En hij kan opslokken wat hij wil!'
'Goud!' roept Hugo met schitterende ogen.
'Taart en gebraden vlees!' likkebaardt Adam.
'Ik slok alle rijke stinkerds op,' sist Boy.
'En dan spuug ik ze uit op de mesthoop.'
De Rat grinnikt: 'En jij, Tamal?
Wat zou jij willen opslokken?'

16

Maar Tamal heeft een vraag.
'Is een schaduwmonster onkwetsbaar?' vraagt hij.
'Jammer genoeg niet,' zegt De Rat.
'Een schaduw moet oppassen voor licht.
Een klein lichtje doet hem niks.
Maar in fel licht lost hij op!
Eigenlijk is er dan nog niets aan de hand.
Je verhuist gewoon terug naar je lijf.
Maar je bent je schaduw voor altijd kwijt.'
Tamal denkt na en zegt:
'Dus daarom kwam Timo 's nachts.'
De Rat knikt.
'Overdag blijven we in dit oude riool.
's Nachts nemen we wraak op Volt.
Mijn leger van straatjongens groeit.
Ik wacht tot het groot genoeg is.
Dan grijpen we de macht!
Binnenkort hoort iedereen van ons.
We smijten de rijken in de gevangenis
en pikken hun huizen in.
Stel je voor wat een leventje we dan krijgen!
Doen jullie mee?'
Adam, Hugo en Boy knikken enthousiast.
Tamal knikt het hardst van allemaal.
Dit plan klinkt hem als muziek in de oren.
Een schaduw heeft macht.
En hij zal de machtigste van alle schaduwen worden.
Reken maar!
De Rat grijnst.
'De nacht is nog lang.
Ik geef jullie…'
Hij kan zijn zin niet afmaken.
Door de tunnels galmt een gil.

Tamal vertrouwt het niet

'Genade, genade,' huilt iemand.
Er klinken rennende voetstappen.
Opeens vliegt er een jongen de kamer in.
De jongen valt op zijn knieën voor De Rat.
'Genade!' blijft hij maar gillen.
Achter hem komen twee mannen de tunnel uit.
Ze dragen een blauw uniform en zware laarzen.
Met een paar grote passen zijn ze bij de jongen.
Ze sleuren hem overeind.
De jongen schopt en krijst.
De mannen trekken een zak over zijn hoofd,
helemaal tot aan zijn middel.
Ze wikkelen er een touw om
en knopen dat stevig vast.
De jongen huilt nog steeds,
maar nu hoor je het bijna niet meer.
Ook kan hij zijn armen niet meer bewegen.
Een van de mannen hijgt: 'Sorry, meneer.
Dit joch ontsnapte.
Dat had niet mogen gebeuren.'

De tweede zegt grimmig:
'Die stomkop is zijn schaduw kwijtgeraakt.
We waren dus volgens uw orders onderweg om…'
'Stil!' brult De Rat.
'Ga naar tunnel 13C en val ons niet langer lastig.'
De wachters sleuren de knul weg.

Tamal kijkt met een frons toe.
Hij vraagt zich af wat ze met de jongen gaan doen.
De Rat kucht.
Aan zijn gezicht is te zien dat hij baalt.
Maar hij probeert opgewekt te lachen en zegt:
'Waar waren we gebleven?
O ja!
Jullie mogen eten van mijn magische Duister Kruid.'
De Rat graait in een houten kist.
Hij trekt er een bos groene kruiden uit.
Aan de stengels zitten spitse blaadjes.
Die verspreiden een zoete geur.
Hugo, Boy en Adam stappen gretig naar voren.
Ze hebben alleen nog aandacht voor het kruid.
Maar Tamal denkt:
zijn ze die huilende jongen nu al vergeten?
Wat was dat allemaal?
Ik zou dat wel eens willen weten.

De Rat doet alsof er niets gebeurd is.
Hij lacht om de kreten van de straatjongens.
Ze springen als vlooien om hem heen.
'Ik wil eerst!' roept Adam.
Boy duwt hem opzij.
Hij gilt: 'Moet je de hele plant opeten?'
'Word je meteen een superschaduw?' vraagt Hugo.

'En mogen we dan meteen naar Volt?
Ik wil naar de baas van de groentekraam.
Hij gaf me vandaag een pak slaag met een stok.
Alleen maar omdat ik een appel pikte.
Wacht maar!
Ik laat hem alle wormen uit zijn appels opvreten!'
De Rat legt uit hoe je Duister Kruid moet eten.
'Ga rustig tegen de muur zitten.
Pluk vijf blaadjes van een stengel.
Goed kauwen.
Hoe meer sap, hoe beter.
Door het sap glijd je uit je lijf en in je schaduw.'
De Rat deelt het Duister Kruid uit.
'Na een tijdje is het uitgewerkt,' vertelt hij.
'Je merkt vanzelf wanneer het zover is.
Dan word je teruggezogen naar je lijf.'
Tamal kijkt hoe de anderen tegen de muur gaan zitten.
Hij wordt steeds ongeruster.
In gedachten hoort hij de kreten van de jongen nog.
Opeens vraagt hij zich af:
waarom doet De Rat dit eigenlijk?
Wil hij de straatjongens echt helpen?
Of zit er iets anders achter?
Heeft hij stiekeme plannetjes?
Tamal neemt een besluit.
Hij denkt: ik eet nog niet van het Duister Kruid.
Eerst wil ik meer over De Rat weten!

Tamal bedenkt een smoes

Adam, Boy en Hugo plukken haastig vijf blaadjes.
Adam schrokt zijn blaadjes naar binnen.
Hij kauwt er driftig op.
'Wow!' gilt hij opeens.
Zijn ogen worden groot en rond.
Hij gooit zijn hoofd in zijn nek.
Zijn mond gaat wijd open.
Er stijgt een zwarte draaikolk uit op.
Woest wervelt die naar het plafond van het riool.
Hij wordt hoger en hoger.
Eindelijk komt hij los uit Adams keel.
Dan neemt de draaikolk een andere vorm aan.
De vorm van een schaduwmonster!
Je kunt niet zien of het monster lacht.
Maar het rekt zich triomfantelijk uit.
Algauw vult het bijna de hele ruimte.
Het balt zijn vuisten.
'Goedzo, knul,' schatert De Rat.
'Ga maar gauw naar boven.
Die tunnel daar in.

Dan almaar rechtuit.
Ga lekker plezier maken.
Laat ze in Volt maar eens wat beleven.
Binnenkort kent iedereen de schaduwmonsters!'
Adams zwarte schim glijdt de tunnel in.
Zijn lijf blijft leeg en wit achter tegen de muur.
Boy en Hugo juichen.
Ze schrokken nu ook hun blaadjes naar binnen.

De Rat draait zich om naar Tamal.
Zijn ogen vernauwen zich.
Vol argwaan vraagt hij: 'Waarom eet jij niet?'
Tamal draait de stengel in zijn handen om en om.
Hij denkt razendsnel na.
'Ik eh… ik heb buikpijn,' liegt hij.
'Ik heb vanavond een stuk rotte vis gegeten.
omdat ik zo'n honger had.
Ik geloof dat ik moet overgeven.'
Dan jammert hij: 'O, wat erg.
Ik wil zo graag een schaduwmonster zijn.'
De Rat lijkt gerustgesteld.
Hij zegt: 'Dat komt nog wel.
Word eerst maar beter.
Ik laat je naar een kamer brengen.'
De Rat klapt in zijn handen.
Bijna onmiddellijk komt er een man tevoorschijn.
Hij draagt een blauw uniform en zware laarzen.
'Breng dit joch naar kamer W12,' beveelt De Rat.
'Enne, Tamal… geef me het Duister Kruid maar terug.
Ik bewaar het voor je.
Stel je voor dat het bederft.'
Ja, stel je voor, denkt Tamal spottend.
Stel je voor dat ik ervan eet.

Hij geeft de stengel braaf terug.
Maar hij is De Rat te slim af!
Hij heeft snel vijf blaadjes van de stengel getrokken.
Ze zitten veilig in zijn jaszak.

Tamal loopt achter de wachter aan.
Hij loopt een beetje krom, alsof hij buikpijn heeft.
Maar intussen kijkt hij goed rond.
De wachter heeft een toorts in zijn hand.
De vlam zet alles in een rode gloed.
De wanden van het riool zijn bedekt met schimmel.
Er druipt water op de grond.
Overal liggen stinkende plassen.
Op veel plaatsen zijn houten vlonders gelegd.
Zo hou je toch droge voeten.
Na een tijdje splitst de tunnel zich.
Nu ziet Tamal dat de tunnels nummers hebben.
Bij elke ingang hangt een bordje.
Boven de ene hangt een bordje met: 12A.
En boven de andere een bordje met: 13C.
Hé, denkt Tamal.
Daar hebben ze die jongen naartoe gebracht.
Hij voelt een scheut angst door zijn buik.
Wat hebben ze met die jongen gedaan?
Gaan ze met Tamal hetzelfde doen?
Brengen ze hem daarom ook naar tunnel 13C?
Tamal zet zich schrap.
Ze zullen hem niet zomaar krijgen.
Hij kent alle vuile trucjes van de straat!
Maar de wachter neemt de andere tunnel.
Even later staan ze voor een deur.
'Hier is uw paleis, sire,' spot de wachter.
Hij lacht hinnikend en duwt de deur open.

De scharnieren kraken.
Aarzelend loopt Tamal naar binnen.
Hij komt in een kaal, stenen hok.
In een hoek ligt een hoop smerig stro.
'Dat is uw hemelbed,' grinnikt de wachter.
'Het is met een heerlijk parfum overgoten.
Rattenpies!'
Hij trekt de deur met een klap dicht.
Meteen is het aardedonker in de kamer.
Een sleutel wordt omgedraaid.

Het geheim van tunnel 13C

Tamal hoort hoe de wachter wegsloft.
Hij zit gevangen!
Maar hij schudt nijdig zijn hoofd.
'Dat had je gedroomd,' mompelt hij.
Hij laat zijn ogen aan het donker wennen.
Dan schuifelt hij naar de deur.
Hij knielt neer en voelt aan het hout.
Het is zo rot dat het onder zijn handen afbrokkelt.
Tamal bromt tevreden.
Precies wat hij in de gang al dacht.
Die deur zag er niet erg stevig uit.
Hij peutert er rotte stukjes hout uit.
Het kost niet veel moeite.
Hele spaanders trekt hij eraf.
Algauw heeft hij een gat gemaakt.
Eerst steekt hij zijn hoofd erdoor.
Hij kijkt of de kust veilig is.
Daarna kruipt hij de gang in.
Daar is het bijna net zo donker als in de kamer.
Maar niet helemaal.

In de verte flakkert een toorts aan een muur.
Tamal komt overeind.
'En nu?' vraagt hij aan zichzelf.
Hij denkt na.
Vluchten?
Nee, hij wil het fijne van dit zaakje weten.
De Rat voert iets in zijn schild.
Hij werft een leger straatjongens.
Met Duister Kruid verandert hij ze in monsters.
Zo sticht hij een Rijk van Schaduw.
De baas van dat rijk heeft veel macht.
Heel Volt zal voor hem beven.
'Dát wil De Rat,' mompelt Tamal.
'Macht.
Wedden?
De straatjongens interesseren hem niets.
Hij gebruikt ze alleen als knechtjes.
De Rat wil de baas spelen over Volt.
Ha, maar dat wil ik ook wel!
Dit is mijn kans op macht.
Ik hoef alleen maar De Rat te verslaan.'
Maar hoe krijgt hij dat voor elkaar?
Hij moet weten waar de voorraad Duister Kruid ligt.
En hoeveel wachters er zijn.
En hoe het riool in elkaar zit.
Wie kan hem daar meer over vertellen?
'Die jongen,' mompelt Tamal.
'Die jongen die geen schaduw meer heeft,
die ze naar 13C gebracht hebben.
De tunnel is hier vlakbij.
Ik ga eropaf.'

Tamal sluipt terug naar de splitsing.
Er is geen mens te bekennen.
Snel en geruisloos glipt hij tunnel 13C in.
Die is nauw en bochtig.
Het metselwerk is heel oud.
De stenen vallen eruit.
Op veel plaatsen wordt het plafond gestut door palen.
Tamal wringt zich langs de palen.
Hij klautert over stapels puin.
Na een tijd komt er een scherpe bocht naar rechts.
Tamal slaat de hoek om.
Meteen springt hij weer achteruit.
Met bonkend hart drukt hij zich tegen de muur.
Om de hoek eindigt de tunnel.
Daar ligt de jongen die om genade krijste!
Hij heeft de zak nog over zijn hoofd.
En dat niet alleen.
Bij de jongen staan twee wachters.
Gelukkig staan ze met hun rug naar Tamal toe.
Ze hebben hem niet opgemerkt.
'Tijd om de klus af te ronden,' zegt de ene wachter.
'Ik hoor onze schatjes al.'
De andere wachter grinnikt vals:
'Die lieverdjes weten dat het voedertijd is.'
Tamal begrijpt er niets van.
Over welke schatjes hebben ze het?
Het moet iets afgrijselijks zijn.
De jongen heeft de wachters ook gehoord.
Hij begint luid te jammeren.
De ene wachter gromt:
'We halen die zak er niet af.
Ik word nog eens doof van dat jong.'
'Het maakt de ratten niks uit,' lacht de andere.

28

'Ze vreten alles wat wij ze geven:
zakken, oude schoenen, stoute jongetjes.'
Tamal heeft het gevoel dat hij bevriest.
Opeens begrijpt hij alles.
De jongen heeft zonder schaduw geen nut meer.
Hij bezorgt alleen nog last.
Hij kost eten en drinken.
Daarom moet hij verdwijnen.
Ze gaan hem aan de ratten voeren!

Op het nippertje

Tamal bijt op zijn lip.
Hij moet iets doen.
En snel ook!
Opeens denkt hij aan het Duister Kruid in zijn zak.
Er is maar één manier om de jongen te redden.
De jongen die hem alles vertellen kan.
Tamal moet Duister Kruid eten.
Haastig haalt hij de blaadjes tevoorschijn.
Hij propt ze in zijn mond en kauwt.
Een zoetig sap loopt in zijn keel.
Hij slikt…

Tamal ziet een witte flits achter zijn ogen.
Zijn lijf tintelt en prikkelt.
Er bruist iets in hem omhoog.
Het lijkt op water en vuur tegelijk.
Het lijkt een storm, een orkaan.
Het barst naar buiten door zijn mond.
Tamal wordt uitgerekt als een elastiek.
Opeens is er weer een flits.

Vol verbazing ziet hij zijn lijf op de vloer tuimelen.
Zijn hoofd bonst op de stenen.
'Au!' roept hij verschrikt, maar hij voelt niets.
Opeens snapt hij waarom.
Het is gelukt, denkt hij.
Ik zit in mijn schaduw!
Mijn lijf is leeg.
Een leeg lijf valt natuurlijk om.
Nu snap ik waarom ik eerst moest gaan zitten.
Tamal voelt zich spookachtig.
Hij weet er geen ander woord voor.
Ik ben een schaduw, denkt hij opgewonden.
Een superschaduw!
Hij strekt zijn armen en benen.
Die groeien meteen een meter.
Tamal is groot en donker.
Hij vult de gang.
En hij stort zich naar voren.

De twee wachters hebben de jongen opgetild.
Ze staan aan de rand van een diepe put.
De jongen gilt doodsbang.
Opeens wordt het donker.
Er schuift iets voor het licht van de toortsen.
De wachters kijken verschrikt om.
Er komt een reusachtige schaduw op hen af!
Met een kreet laten ze de jongen los.
Ze zetten het op een lopen.
De jongen valt schreeuwend in de rattenput.
Tamal schrikt zich rot.
Dat was niet de bedoeling!
Hij duikt de jongen achterna.
Ze suizen op de bodem van de put af.

Vlakbij de grond slokt Tamal de jongen op.
Hij denkt er niet bij na.
Het gaat vanzelf,
net alsof je een sliert spaghetti naar binnen zuigt.
De ratten op de bodem van de put blazen naar hem.
Ze zijn zwart en moddervet.
Vol afgrijzen kijkt Tamal ernaar.
Hij heeft nog nooit zulke grote ratten gezien.
Ze zijn zo groot als katten.
Hun staarten zijn bijna een meter lang.
Ze laten hun gele, scherpe tanden zien.
Een paar ratten springen omhoog.
Ze proberen Tamal te bijten.
Hun kaken klappen dicht.
Tamal lacht.
Niemand kan een schaduw bijten!

Sam

Zonder moeite zweeft Tamal uit de put omhoog.
Boven spuugt hij de jongen uit.
Ook dat gaat vanzelf.
Net alsof je hikt.
De jongen rolt over de vloer.
Tamal besluit om terug te gaan in zijn lijf.
Hij moet de boeien van de jongen losmaken.
Met zijn schaduwhanden lukt dat niet.
Bovendien wil hij zijn lijf niet hier laten als hij vlucht.
En het is wel zeker dat ze moeten vluchten.
De wachters slaan natuurlijk alarm!
Tamal glijdt naar zijn lijf.
Het ligt leeg op de grond.
Hoe moet het nu verder?
Aarzelend raakt hij zijn gezicht aan.
Meteen voelt hij een harde ruk.
Hij begint als een tornado rond te tollen.
Al tollend krimpt hij.
Even later is hij met een bons terug in zijn lijf.

Tijd om bij te komen heeft hij niet.
Met een paar grote stappen is hij bij de jongen.
Die ligt nog steeds machteloos op de grond.
Hij kronkelt en schopt met zijn benen.
Snel pulkt Tamal de knopen in het touw los.
Hij trekt de zak van het hoofd van de jongen.
Twee ogen kijken hem wild aan.
Ze zijn rood en nat van het huilen.
'Wie ben je?' vraagt de jongen angstig.
'Ik ben je vriend,' zegt Tamal.
'Ik heet Tamal, en jij?'
De jongen slikt.
Hij kijkt doodsbang om zich heen.
'Ik ben Sam.
Waar zijn de wachters?'
Tamal zegt: 'Toetsie.
Ik had ze willen overmeesteren.
Helaas ging het mis.
Ze zullen zeker terugkomen.
We moeten vluchten.
Weet jij de weg naar buiten?'
Sam knikt.
'Eerst terug door de Dodentunnel.'
'Bedoel je tunnel 13C?' vraagt Tamal.
Weer knikt Sam.
Hij rilt en jammert:
'Geen straatjongen kwam daar ooit levend uit.'
'Vandaag wel,' zegt Tamal grimmig.
'Kom mee.'
Sam krabbelt bibberig overeind.
Hij vraagt aan Tamal:
'Hoe kom je aan die blauwe neus?
Wilden ze jou ook te grazen nemen?'

Tamal betast zijn pijnlijke gezicht.
'Het is mijn eigen schuld,' zegt hij.
'Ik maakte een foutje toen ik Duister Kruid at.
Ik vergat om te gaan zitten en...'
De jongen onderbreekt hem.
Hij pakt Tamal ruw bij zijn arm.
'Heb jij Duister Kruid?' roept hij schril.
'Au,' zegt Tamal verbaasd.
Hij trekt zijn mouw los.
'Wat doet het ertoe?
Schiet nou maar op.
Anders zitten we in de val!'

Maar het lijkt wel alsof Sam alles vergeten is:
de rattenput, de wachters en het gevaar.
Zijn ogen gloeien koortsig
'Heb je Duister Kruid?' vraagt hij weer.
'Vlug, geef mij wat!'
'Dat helpt niet,' zegt Tamal ongeduldig.
'Wil je je lijf soms hier achterlaten?
Je hebt trouwens niet eens een schaduw meer.
Dus...'
Midden in de zin stopt hij.
Hij kijkt naar Sams vertrokken gezicht.
Langzaam zegt hij: 'Daar gaat het niet om, hè?
Je wilt het niet gebruiken om te ontsnappen.
Je bent verslaafd.
Duister Kruid werkt verslavend.
Dus dat was De Rat even vergeten te vertellen.
Handig, hoor.
Zo krijgt hij alle jongens in zijn macht.'
'Nou en?' gilt Sam.
'Heb jij daar soms wat mee te maken?

Geef op dat Duister Kruid!'
De echo's van zijn stem galmen door de Dodentunnel.
Maar Tamal hoort nog wat anders.
In de verte klinkt gestamp van laarzen!
Hij wordt bleek.
'Schiet op, sukkel!' roept hij.
'Daar komen ze al!'
Hij draait zich om en rent weg.
De spieren in Sams gezicht trekken.
In zijn ogen verschijnt een sluwe blik.
Hij bukt zich en tast over de grond.
Even later suist er een steen door de lucht.

Verdwaald

De steen die Sam gooit, raakt Tamal tegen zijn hoofd.
'Au!' gilt Tamal.
Hij slaat tegen de grond.
Met een triomfantelijke kreet springt Sam op hem.
Hij graait in de zakken van Tamal.
Tamal is zo versuft dat hij niets kan doen.
Hij voelt hoe Sam zijn kleren doorzoekt.
Maar opeens verstijft de verslaafde jongen.
Nu hoort hij de stampende laarzen ook.
Plotseling verschijnen er om de bocht zes wachters.
'Daar is dat joch!' brult de voorste.
Sam hijgt van angst.
Hij draait zich om en rent weg.
Maar hij kan maar één kant op.
De wachters lachen gemeen.
'Hij bespaart ons een hoop werk,' spot er een.
'Hij rent zelf al naar de put.'

Tamal voelt zich nog steeds suf.
Zijn hoofd klopt pijnlijk.

Maar hij is alweer helder genoeg om te denken.
De wachters mogen hem niet zien.
Hij ligt vlakbij een stapel puin.
Snel rolt hij zich op tot een bal
en maakt zich zo klein mogelijk.
Hij drukt zich tegen het puin aan.
Gelukkig is het donker in de tunnel.
Alleen twee toortsen werpen flakkerende schaduwen.
De wachters zijn nu vlakbij.
Ze stappen over de berg puin.
En over Tamal.
Ze merken hem niet op.
Hun ogen zijn gericht op Sam.
Een van de wachters roept:
'Waar is die zwarte reus waar jullie het over hadden?'
'Dat was vast inbeelding,' zegt een ander.
'In deze rottunnels zie je altijd rare schaduwen.'
Opeens begint Sam te gillen.
Ze hebben hem te pakken, denkt Tamal.
En dit keer kan ik hem niet helpen.
Wegwezen!
Hij kruipt over het puin.
Als een slang kronkelt hij naar de bocht.
Zodra hij de hoek om is, staat hij op.
Hij zet het op een rennen.

Aan het eind van de Dodentunnel staat Tamal stil.
Welke kant moet hij op?
Dit riool is een doolhof.
Op goed geluk slaat hij linksaf.
Dan rechts, en dan weer links.
Na tien meter kan hij niet verder.
Hij staat voor een stinkende poel.

In het water blinkt iets.
Het is een vis met witte ogen.
Die is blind, beseft Tamal.
Blind, omdat hij altijd in de duisternis zwemt.
Tamal draait zich om.
Gelukkig wordt hij niet achtervolgd.
Achter hem klinkt geen enkel geluid.
Vóór hem ook niet.
Het riool ligt er verlaten bij.
Het is griezelig stil.
Af en toe hoor je een druppel water vallen.
Tamal staart in de duisternis.
Beweegt daar iets, of toch niet?
Het donker lijkt naar hem toe te kruipen.
Tamal huivert.
'Ik wil hieruit,' mompelt hij.
Hij kiest een andere gang en begint weer te lopen.

Wel een uur zwerft Tamal door de donkere gangen.
Tunnel in, tunnel uit gaat het.
Hij glibbert door vieze prut en plassen water.
Zijn schoenen soppen.
Soms moet hij op de tast lopen.
Dan grijpt hij steeds in slijmerige paddestoelen.
Nergens ziet hij daglicht.
Is het nog nacht in Volt?
Of gaat hij steeds dieper de aarde in?
Tamal wordt steeds wanhopiger.
Hoe vindt hij ooit de weg naar boven?

Een list

Tamal is doodmoe.
Hij hurkt neer en leunt tegen de muur.
Iets kouds glibbert in zijn nek.
Een druppel water!
Net op tijd houdt hij een schreeuw in.
Dat is maar goed ook.
Een eindje verderop hoort hij een geluid.
Tamal veegt zijn nek droog en luistert scherp.
Ja, nu weet hij het zeker.
Dat was het kraken van een deur.
Daar komt iemand aan!
Vlug neemt hij zijn besluit.
Zijn hand zoekt een steen.
De voetstappen komen dichterbij.
Tamal maakt zich klein.
Uit het duister doemt een jongen op.
Hij draagt een houten krat.
Tamal laat hem voorbijgaan.
Dan veert hij overeind.
Hij drukt zijn steen in de rug van de jongen

en sist: 'Voel je dit?
Het is mijn mes.
Doe precies wat ik zeg.
Anders ga je eraan!'
De jongen verstijft.
Hij knikt met een wit gezicht.
'Ik wil naar de uitgang,' sist Tamal.
'Jij moet me daar naartoe brengen.
Hup, lopen!'
Hij drukt de steen dieper in de rug van de jongen.
Die jammert: 'Ik loop al.'
'Sst,' sist Tamal verschrikt.
'Niemand mag ons horen.'
'Naar welke uitgang wil je?' fluistert de jongen.
Zijn stem bibbert.
Tamal snauwt: 'Kan me niet schelen.
Gewoon eruit, en snel.'

Ze beginnen te lopen.
De jongen draagt nog steeds zijn krat.
Er stijgt een zoete geur uit op.
Tamal snuift.
'Wat heb je daar?' vraagt hij.
Maar hij kan het wel raden.
Duister Kruid!
Misschien komt dat nog te pas.
Met zijn vrije hand graait hij in het krat.
Snel propt hij zijn zakken vol Duister Kruid.
'Hé,' protesteert de jongen.
'Kop dicht,' snauwt Tamal.
'Zijn we er al bijna?'
'Hier is het,' zegt de jongen.
Tamal kijkt rond.

Hij is hier al eerder geweest.
Er is niets van een uitgang te bekennen.
'Als je me voor de gek houdt...' dreigt hij.
'Nee, nee,' roept de jongen bang.
'Je moet naar boven klimmen.
Daar is een deksel dat op straat uitkomt.'
Hij wijst op de brokkelige stenen muur.
Nu ziet Tamal het.
In de muur zijn ijzeren beugels gemetseld.
Samen vormen ze een trap.
Ze zijn hem in het donker niet eerder opgevallen.
Hij aarzelt.
Wat moet hij nu met de jongen doen?
Die mag geen alarm slaan!
Eigenlijk moet hij hem neerslaan.
Wie macht wil, moet meedogenloos zijn.
Net als De Rat!
Maar Tamal is nog niet zo'n bikkel.
De jongen met het krat voelt zijn aarzeling.
Hij reageert bliksemsnel.
Hij maait het houten krat door de lucht
en mept Tamal er hard mee in zijn gezicht.
Het Duister Kruid vliegt alle kanten op.

Tamal slaat met zijn hoofd tegen de muur.
Hij brult van pijn.
Het lijkt wel alsof er sterren voor zijn ogen ontploffen.
Bloed spuit uit zijn neus.
Vaag ziet hij hoe de jongen wegduikt.
Hij haalt de wachters, denkt Tamal in paniek.
Wegwezen!
Duizelig grijpt hij een ijzeren beugel vast.
Hij trekt zich op.

Zijn benen lijken wel van rubber.
Ze zwabberen alle kanten op.
Dat komt door de klap.
Tamal klemt zijn tanden op elkaar.
Kreunend hijst hij zich omhoog.
Opeens stopt hij met klimmen en luistert.
Wat vreemd.
Hij hoort geen enkel geluid.
Je zou wegrennende voetstappen verwachten
en een hoop geschreeuw.
In plaats daarvan is het stil.
Doodstil.
Té stil, denkt Tamal.
Er loopt een rilling over zijn rug.
Het kan maar één ding betekenen.
Hij kijkt naar beneden.
Zijn adem stokt.
Onder hem stijgt een zwarte draaikolk op!

Een wilde achtervolging

Tamal laat van schrik bijna de beugel los.
De jongen heeft Duister Kruid gegeten!
Schreeuwend vliegt Tamal de trap op.
Hij knalt met zijn hoofd tegen iets hards.
Het putdeksel!
Zijn angst geeft hem reuzenkrachten.
Hij smijt het roestige deksel open.
Terwijl hij de straat op rolt, schopt hij het dicht.
Dan vlucht hij een steeg in.
Achter hem beweegt het deksel niet.
Maar door een kier glijdt een zwarte schaduw.
Die groeit…

Het is nog nacht in Volt, maar niet lang meer.
Tamal rent hijgend door de straten.
In het oosten ziet hij een grijs licht.
Hij herinnert zich wat De Rat zei:
'Een schaduw moet oppassen voor licht.
In fel licht lost hij op.'
Ik moet hem vóór blijven tot de zon er is, denkt Tamal.

In het zonlicht kan hij me niet langer achtervolgen.
Gelukkig kent Tamal deze buurt goed.
Het is de armste buurt van Volt.
Kleine, armoedige huisjes leunen tegen elkaar.
Hun deuren en kozijnen zijn verrot.
De daken zijn lek en bijna alle ruiten zijn kapot.
Toch wonen hier mensen.
Ze slapen nog op hun bedden vol vlooien.
Tamal kijkt om.
Geen schaduw te bekennen.
Opgelucht gaat hij iets langzamer lopen.
Hij heeft een gemene steek in zijn zij.
Ik moet me verstoppen, denkt hij.
Maar waar?
Piekerend slaat hij een hoek om.
Hij loopt een steegje in.
Het is heel smal.
Aan het eind ervan is het pikdonker.
Opeens beweegt er iets.
Een zwarte gedaante maakt zich los uit het donker.
Het is de schaduw.
Hij valt aan!
Tamal vloekt en draait zich om.
Hij dacht dat de schaduw achter hem was.
Maar die sluwe rotzak wachtte hem op!
Tamal rent voor zijn leven.
Met groot gemak strekt de schaduw een arm uit.
Die groeit harder dan Tamal rennen kan.
Een zwarte hand hangt boven hem en klauwt…
Tamal springt een zijsteegje in.
Daar staat een deur op een kier.
Hij bedenkt zich geen tel.
Hij stoot de deur open en vliegt naar binnen.

Snel maar zachtjes duwt hij de deur achter zich dicht.
Met bonkend hart gluurt hij door het verrotte hout.
De donkere schim glijdt voorbij.
Maar even verderop houdt hij halt.
Tamal trilt op zijn benen.
De schaduw komt terug!
Heeft hij Tamal gezien?
Nee, blijkbaar niet.
Het monster is hem kwijt.
Zoekend glijdt de schaduw op en neer door de steeg.
Af en toe passeert hij de deur.
Dan verduistert het stoffige raampje.
Tamal maakt zich zo klein mogelijk.
Hij knijpt zijn ogen stijf dicht.
Alsof dat helpt.
Opeens kraakt achter hem een vloerplank.
Met een ruk draait Tamal zich om.

Kolonel Knoest

Er valt een donkere schaduw over Tamal.
Maar het is niet de schaduw die hem op de hielen zit.
Het is de schaduw van een man.
Hij draagt een uniform vol rafels.
Uit zijn ene broekspijp steekt een houten poot.
Geen wonder dat de man op krukken leunt.
Hij snauwt: 'Wat moet je in mijn huis?'
'Sst,' sist Tamal met bange ogen.
Hij wijst op de schim die langs het raam glijdt.
'Zitten ze je achterna?' gromt de man.
Tamal knikt.
'Alstublieft,' smeekt hij.
'Laat me hier schuilen.'
De man snuift.
'Waarom zou ik?' zegt hij.
'Je bent maar een straatjoch.'
'Ik heb iets bijzonders,' zegt Tamal haastig.
Hij haalt wat Duister Kruid uit zijn zak.
De man knijpt zijn ogen tot spleetjes.
'Wat is dat?

Tabak?'
'Het is zelfs beter dan tabak,' zegt Tamal.
'Wacht even tot die schaduw weg is, dan…'
Hij draait zich om.
Een zonnestraal priemt in zijn ogen.
De schim is nergens meer te bekennen!
Even later zit Tamal in een gammele stoel.
Naast hem staat een kop thee.
Het is slappe thee, maar lekker heet.
Dankbaar slurpt hij ervan.
Hij kijkt om zich heen.
Het huis bestaat uit één kamer.
Of misschien twee.
Aan de andere kant is nog een deur.
In de kamer is het koud en vochtig.
Het behang hangt in flarden aan de muren.
In de hoek is een vieze gootsteen.
De buis van de waterleiding is verroest.
Alles is schots en scheef en kapot.
Tegenover Tamal zit de man in uniform.
'Je kunt mij kolonel noemen,' zegt hij.
'Kolonel Knoest.
Die bijnaam kreeg ik van mijn soldaten
omdat ik zo hard en taai ben als een knoest.
Vertel op, hoe kwam je hier binnen?'
'De deur stond op een kier,' zegt Tamal.
'Dat verdomde slot,' bromt de kolonel.
'Voor wie was je op de loop?'
Tamal aarzelt even.
Zou de kolonel hem geloven?
Het is een gek verhaal!
Hij vertelt wat hem die nacht is overkomen.
Kolonel Knoest luistert aandachtig.

Af en toe bromt hij.
Soms stelt hij een vraag.
Ten slotte laat Tamal hem het Duister Kruid zien.
De kolonel grijnst.
'Dus dat is het?' zegt hij.
Hij neemt een stengel in zijn hand en ruikt eraan.
De grijns wordt groter.
Het wordt een gemene lach.
'Misschien ben jij een engel, jongen,' zegt de kolonel.
'Mijn engel van wraak.
Met dit kruid kan ik ze eindelijk straffen!'
Tamal schuift op en neer op zijn stoel.
Het ding wiebelt gevaarlijk.
'Wie, meneer?' vraagt hij.
'Wie wilt u straffen?'
De ogen van de kolonel fonkelen woest.
'De koning,' sist hij.
'En de generaals.
Iedereen!
Maar vooral…'
Hij stampt woest met zijn houten poot op de vloer.
'Vooral die vuile verrader,
de smerige majoor Rolf Sulfiet!'
Er spreekt een dodelijke haat uit zijn woorden.
'Wat heeft hij gedaan?' vraagt Tamal.
De kolonel maakt een breed gebaar om zich heen.
'Dit,' zegt hij bitter.
Tamals ogen glijden door de armoedige kamer.
'Ik had gezond en rijk kunnen zijn,' zegt de kolonel.
Hij balt zijn vuisten.
'Als die smeerlap er niet was geweest.
Hij heeft mij gruwelijk te grazen genomen!
Het gebeurde in een stikdonkere nacht…'

Het verraad van majoor Rolf Sulfiet

Kolonel Knoest kijkt op en vraagt:
'Heb je wel eens gehoord van de Slag bij de
Ravenrots?'
Tamal schudt zijn hoofd.
'We hadden gevochten als gekken,' vertelt de kolonel.
'En we leken te gaan winnen.
Generaal Stomp en ik streden zij aan zij.
Ik redde tweemaal zijn leven.
"Sigurd," zei de generaal tegen mij,
"Sigurd, ik zal je belonen voor je moed.
Je zult een rijk man zijn."
Toen regende het kanonskogels.
We werden uiteen gedreven.
Ik raakte in de val in een klein dal.
Samen met Rolf Sulfiet en een paar soldaten.
's Avonds waren de soldaten dood.
Alleen Rolf en ik waren over.'
Tamal luistert met open mond.
'En de rest van het leger?' vraagt hij.
'Waar waren generaal Stomp en de anderen?'

Kolonel Knoest staart in het verleden.
'Zij vormden de hoofdmacht.
De hoofdmacht werd verdreven uit de bergen.
Generaal Stomp heeft de veldslag verloren.
Hij werd gedood.'
'En wat gebeurde er met u?' vraagt Tamal ademloos.
De kolonel wordt vuurrood van woede.
'Ik werd verraden door majoor Rolf Sulfiet.
Dat stuk ongedierte wilde graag kolonel worden.
Maar het leger had geen nieuwe kolonels nodig.
Behalve als er een oude dood zou gaan!
Die nacht greep die lafbek zijn kans.
Je moet weten dat we omsingeld waren.
Op de rotsen boven ons lag de vijand.
Ze schoten op alles wat bewoog.
Rolf en ik hurkten achter een rotsblok in het dal.
Om middernacht stond Rolf op.
Hij zei: "Sigurd, geef mij dekking.
Ik ren het dal uit naar de Ravenrots.
Jij moet ondertussen als een gek schieten.
Steekt de vijand zijn neus boven de rand uit?
Dan knal je die eraf!
Zo zal niemand het wagen om terug te schieten.
Onder jouw dekking bereik ik de top.
Daar is het mijn beurt om te vuren.
Zo kun jij ook ontsnappen uit het dal."
We verdeelden de kogels die we nog hadden.
Toen rende hij weg.'
Tamal wiebelt op zijn stoel van spanning.
'En toen?' vraagt hij.
De kolonel gaat verder: 'Hij redde het.
Ik zorgde voor een spervuur.
Rolf stoof het dal uit.

Maar toen…'
Het gezicht van de kolonel wordt wit van haat.
'Toen verdween hij en liet mij stikken.'
'Hij beloofde te zullen schieten!' roept Tamal uit.
'Maar dat deed hij niet,' sist de kolonel.
Tamal schudt zijn hoofd.
'Misschien had de vijand hem te pakken.'
'Echt niet!' roept de kolonel kwaad.
'Die rotzak stond op de top van de Ravenrots.
Hij zwaaide met zijn halsdoek.
Ik dacht nog: nu gaat hij vuren.
Ik wachtte minutenlang.
Er gebeurde niets.
Hij liet mij gewoon achter in handen van de vijand.'
'Wat een rotstreek!' roept Tamal verontwaardigd.
'En eerst nog vrolijk zwaaien óók!'
De kolonel knarst met zijn tanden.
'Het duurde niet lang of mijn kogels waren op.
De vijand bestormde mij.'
Tamal buigt zich ademloos voorover op zijn stoel.
Maar dat is teveel voor het gammele ding.
Met een knal breekt een van de poten af.
Tamal rolt met stoel en al over de grond.
Voor het eerst grinnikt de kolonel.
Droogjes zegt hij: 'Dat gebeurde mij nou ook.
Er volgde een gevecht.
Zo raakte ik mijn poot kwijt.'

Kolonel Knoest schenkt nog een keer thee in.
Ondertussen maakt hij zijn verhaal af:
'Pas na vele maanden kon ik ontsnappen.
Rolf was kolonel geworden.
Hij keek wel op zijn neus toen ik terugkwam!

52

Hij had gehoopt dat ik dood was.
Ik beschuldigde hem van verraad.
Maar hij hing doodleuk smoesjes op.
Hij beweerde dat hij óók gevangengenomen was.
Niemand geloofde mijn verhaal.
En met mijn ene poot was ik waardeloos geworden.
Ik werd uit het leger ontslagen.
De koning liet me stikken.
Ik kreeg geen geld, geen huis, niks.
Sindsdien leef ik in dit krot.'
Het blijft een tijdje stil.
Tamal rilt.
Wat een verhaal!
Geen wonder dat de kolonel vol haat zit.
Kolonel Knoest is opgestaan.
Hij hinkt naar een kast en haalt er een homp brood uit.
Die breekt hij in twee stukken.
Eén helft gooit hij naar Tamal.
Het brood is hard en droog.
Maar Tamal zet er uitgehongerd zijn tanden in.
De kolonel is weer gaan zitten.
Hij zet zijn krukken tegen de muur.
Al kauwend kijkt hij naar Tamal.
Zijn ogen glinsteren.
'Maar nu ben jij er,' zegt hij met een brede grijns.
'Mijn engel van wraak.
Nu verandert alles.
Weet je wat we doen?
We zullen slapen zolang het licht is.
En vanavond… eten we van het Duister Kruid!'

Tamal ligt wakker

Tamal krijgt een oude deken.
Hij gaat in een hoek op de grond liggen.
Maar hij kan de slaap niet vatten.
Hij staart naar het plafond
en denkt aan zijn grote wens.
Hij wil de machtigste man van het land worden.
Met Duister Kruid kan die wens uitkomen.
De rijken moeten hun geld aan hem geven.
Daar koopt hij lekker eten van en warme kleren.
En hij wil bedienden.
Ze moeten diep voor hem buigen.
Wie hem ooit afgeranseld heeft, krijgt straf.
Die krijgt zelf een pak slaag,
en moet daarna wegrotten in de gevangenis.
Niemand zal bij Tamal zijn leven zeker zijn.
Precies zoals hij zijn leven nu niet zeker is.
Hij zal de mensen laten kruipen voor hem.
Ze moeten hem om genade smeken.
Precies zoals hij nu.
Hij zal de rollen omdraaien.

Zijn wraak zal zoet zijn.
Macht!
Dit is zijn grote kans.
Alleen De Rat staat hem in de weg.

De Rat…
Tamal krijgt opeens kippenvel.
De Rat is vast razend!
Tamal is ontsnapt uit het riool.
Hij weet alles van het geheim onder de grond.
En hij heeft Duister Kruid gestolen!
De Rat laat het er vast niet bij zitten.
Hij zal Tamal laten opsporen.
Misschien stuurt hij schaduwen achter hem aan.
Of de wachters in hun blauwe uniform!
"Blauwe wachters" noemt Tamal hen in gedachten.
Er kraakt iets boven zijn hoofd.
Hij vliegt overeind.
Zijn hart bonst.
Hebben ze hem al gevonden?
Hij spitst zijn oren.
Weer klinkt het gekraak.
Nu herkent hij het geluid.
Het is een oude balk.
Oude balken kraken zo nu en dan.
Met een zucht gaat hij weer liggen.
De Rat is één probleem.
Maar er is nog een probleem.
Vanavond eten we Duister Kruid, denkt hij.
Is dat wel slim?
Het is super om een schaduw te zijn.
Maar aan Duister Kruid raak je verslaafd.
Na hoeveel keer?

Eén keer?
Twee?
Drie?
Al piekerend valt Tamal in een diepe slaap.

Tamal wordt wakker omdat iemand aan hem schudt.
Het is kolonel Knoest.
'Sta op, knul,' sist die.
'Het is tijd.
Buiten is het donker.
We kunnen op stap.'
Binnen is het ook donker.
Er brandt alleen een olielamp.
Slaapdronken komt Tamal overeind.
De kolonel heeft een bos Duister Kruid in zijn vuist.
'Vertel me hoe het werkt, knul,' zegt hij schor.
Tamal denkt aan de eerste keer dat hij het kruid at.
Zijn lege lijf viel om als een blok.
Hij wrijft over de bult op zijn hoofd.
'Het belangrijkste is dat we gaan zitten,' zegt hij.
Die les vergeet hij niet meer!
Tamal vertelt de kolonel alles wat hij moet weten.
Daarna gaan ze tegen de muur zitten.
'Eén, twee, drie, vier, vijf,' telt de kolonel,
terwijl hij de blaadjes van hun stengel plukt.
Zwijgend kauwen ze op het Duister Kruid.
Dan gebeurt het weer!
Tamal ziet een witte flits achter zijn ogen.
Zijn lijf tintelt en prikkelt.
Er bruist iets in hem omhoog.
Het lijkt op water en vuur tegelijk.
Het lijkt een storm, een orkaan.
Het barst naar buiten door zijn mond.

Hij wordt uitgerekt als een elastiek.
Weer is er een flits.
Plotseling staat Tamal naast zijn lijf.
Hij lacht triomfantelijk.

Opeens verschijnt er een zwarte klauw voor zijn neus.
Boe! klinkt het.
Tamal schrikt zich rot.
Achter hem klinkt een schaterlach.
Het is de schaduw van kolonel Knoest.
Ik had je te pakken! proest die.
Tamal grinnikt schaapachtig.
Opeens wordt hij ernstig.
Merkt u dat ook? vraagt hij.
We hebben geen stem.
Toch begrijp ik wat u zegt.
Het is net alsof ik uw gedachten kan lezen.
De kolonel pakt Tamal plagend vast.
Maar zijn hand glijdt dwars door Tamals arm.
Hun schaduwen vloeien in elkaar.
Ze vormen samen een nieuwe schaduw.
Hela, zegt de kolonel.
Tamal lacht.
Een schaduw kan niets vastpakken, kolonel.
Maar hij kan van alles opslokken.
Hm, zegt de kolonel met een grijns.
Laten we dat dan maar eens gaan proberen.
Zijn schaduw wordt een lange, zwarte sliert.
Ook Tamal rekt zich uit.
Achter elkaar glijden ze onder de deur door.
Naar buiten!

Op pad

Buiten is het pikdonker.
Door de wolken kun je de sterren niet zien.
Kolonel Knoest rekt zich uit tot aan de dakgoot.
Als een zwart monster vult hij de steeg.
Haha, brult hij.
Kom maar op, Rolf!
Mijn wraak zal zoet zijn.
Gaat u Rolf zoeken? vraagt Tamal.
Nee, zegt de kolonel.
Ik ga eerst maar eens wat rondzwerven.
Ik wil uitproberen wat ik kan als schaduw.
En misschien slok ik wat geld op.
Ik heb recht op een hoop geld!
Tamal knikt.
Hij heeft ongeveer hetzelfde plan.
Eerst wilde hij De Rat opzoeken.
Maar toen dacht hij: het is te vroeg.
Ik moet eerst oefenen.
Ik moet mijn schaduw perfect beheersen.
Tamal weet een leuke plek om te oefenen.

Hij kent een herberg in Volt.
Die heet DE GEBRADEN KIP.
De herberg heet niet alleen zo.
Hij ruikt ook naar gebraden kip.
Tamal heeft er vaak gestaan.
Met een rammelende maag, maar zonder geld.
Hij deed het enige wat hij kon doen:
hij snoof de heerlijke geur op.
Tot de waard naar buiten stoof en riep:
'Maak dat je wegkomt, schooier!'
Tamal heeft vaak een pak slaag van hem gekregen.
Mijn wraak zal zoet zijn, denkt Tamal grimmig.
Ik ga naar DE GEBRADEN KIP.
En ik slok elke kip op die ik daar vind!

De kolonel en Tamal gaan ieder een andere kant op.
Tamal spiedt rond.
Zijn er geen schaduwen of wachters in de buurt?
Nee.
Volt ligt verlaten.
Snel glijdt hij door de straten.
In een mum van tijd staat hij voor de herberg.
Achter de raampjes brandt licht.
Een paar late gasten klinken en drinken.
Hun gezang drijft naar buiten.
Tamal maakt zich plat.
Handig glijdt hij onder de deur door.
Mmm… kippetjes, daar kom ik aan.
Natuurlijk kan een schaduw niet eten.
Maar hij zal zo veel mogelijk kippen opslokken.
In het huis van de kolonel spuugt hij ze weer uit.
Dat wordt een feestmaal!
Tamal komt in een donkere gang.

Er brandt maar één olielamp.
Des te beter, denkt hij.
Ik mag niet in fel licht komen.
Dan los ik op.
Behoedzaam zweeft Tamal naar de keuken.
Maar halverwege stopt hij verschrikt.
Onder de keukendeur laait een fel schijnsel.
De kok is vast nog aan het werk.
Dat is balen.
Tamal trekt zich terug in een hoek.
Hij denkt: straks sluit de herberg.
Tot die tijd moet ik geduld hebben.

In de gelagkamer klinkt gestommel.
Opeens vliegt de deur open.
Een brede baan licht valt de gang in.
Twee deftige mannen lallen een lied.
Ze hebben hun armen om elkaars schouders.
Dronken waggelen ze door de gang.
Voor de kapstok blijven ze staan.
Ze proberen hun hoge hoed te pakken,
maar ze grijpen steeds mis.
'Heren, wacht,' klinkt de stem van de waard.
'Ik breng u een sterke lamp.
Hoe wilt u buiten anders uw koets vinden?
Er is geen maan.'
Dit gaat mis, denkt Tamal geschrokken.
Nog even en de gang baadt in het licht!
Wat moet hij doen?
Zal hij die twee opslokken?
Met de waard erbij?
Nee.
Er is teveel volk in de gelagkamer.

Iedereen zal in paniek raken.
Dat zal de aandacht trekken van De Rat.
Tamal kan zich beter verstoppen.
Maar waar?
De voetstappen van de waard komen dichterbij.
Tamal kijkt wild om zich heen.
Er is maar één uitweg.
De wijnkelder in!

Tamal doet iets stoms

Pijlsnel glijdt Tamal de wijnkelder in.
Ook daar flakkert een olielamp.
Een zacht schijnsel danst over het plafond,
maar tussen de wijnvaten is het donker.
Tamal duikt tussen twee vaten.
Opeens hoort hij achter zich een geluid.
Iemand houdt verschrikt zijn adem in!
Langzaam draait Tamal zich om.
Bij het wijnvat staat een meisje.
Ze is ongeveer zo oud als Tamal
en heeft een stenen kan in haar hand.
Ze merkt niet dat ze hem scheef houdt.
Er loopt een straaltje wijn uit.
Het meisje staart verstijfd naar de zwarte schim.
Ik doe je niks, zegt Tamal haastig.
Maar natuurlijk verstaat ze hem niet.
Hij is een schaduw.
Ze doet haar mond open om te gillen.
Stomme meid, denkt Tamal benauwd.
Niet doen!

Hij rekt zich bliksemsnel uit.
Het meisje krijgt geen tijd om een kik te geven.
Tamal slokt haar in één hap op.

Wat raar, denkt hij.
Ik voel niks.
Ik voel me niet zwaarder of voller.
Toch zit ze daarbinnen ergens.
Boven zijn hoofd klinkt een klap.
De deur van de herberg slaat dicht.
De twee dronken kerels zijn weg
en de gang is weer donker.
Tamal glijdt de keldertrap op.
Halverwege houdt hij halt.
Hij kan zichzelf wel voor zijn kop slaan!
Stomme sukkel, denkt hij.
Je had die meid niet hoeven opslokken.
Je had je héél klein kunnen maken.
Je bent immers een schaduw!
Dan had je onder een vat kunnen kruipen
en was ze niet langer bang geweest.
Dan had ze gedacht: ik droom.
Tamal balt zijn vuisten.
Nu is het te laat.
Hij kan haar hier niet uitspugen,
want dan breekt de hel los.
Ze gaat dan natuurlijk gillen en houdt niet meer op.
Hij vervloekt zichzelf.
Nu zit hij met een meisje in zijn maag.
Tamal glipt de herberg uit.
Somber zweeft hij terug naar het huis van de kolonel.

Kolonel Knoest is nog niet terug.

Zijn huis is stil en leeg.
Zijn lijf ook.
Het zit naast Tamals lijf tegen de muur,
een beetje scheef gezakt.
Tamal kijkt er een tijdje naar.
Het is vreemd om naar je eigen lijf te kijken.
Hij slaakt een diepe zucht.
Nu moet hij dat meisje uitspugen.
Daarna moet hij zo snel mogelijk terug in zijn lijf.
Dan heeft hij tenminste weer een mond om te praten.
Tamal hikt.
Het meisje rolt over de vloer.
Haar wijnkan vliegt door de lucht
en spat uit elkaar tegen de muur.
Rode wijn druipt naar beneden.

Het meisje kijkt wild om zich heen.
Ze ziet twee bleke mensen op de vloer.
Een man en een jongen.
Ze zitten doodstil en staren voor zich uit.
Het zijn net twee lijken.
Vlak voor haar neus is een schaduw.
Ze herkent de schaduw uit de wijnkelder.
Hij is groot en woest.
Het angstaanjagende is:
er zit geen mens aan vast!
Een schaduw zonder mens…
Dat kan niet!
Het meisje krabbelt achteruit over de grond.
'Donder op!' schreeuwt ze schor.
Maar het wordt nog enger.
De schaduw verandert opeens in een zwarte mist.
De mist begint razendsnel rond te tollen.

Hij vormt een zwarte draaikolk.
Die komt los van de grond.
De kolk zweeft naar de neus van de jongen
en verdwijnt in zijn neusgat.
Plotseling komt de jongen tot leven.
Hij knippert met zijn ogen.
Schaapachtig zegt hij: 'Hallo.'

Een koele meid

Het meisje hapt naar adem.
Ze schreeuwt boos: 'Halló?
Is dat alles wat je kunt zeggen?
Wat is hier aan de hand?
Waar ben ik?
Hoe kom ik hier?'
Ze begint tenminste niet te janken, denkt Tamal.
Hij heeft de pest aan meiden die janken.
'Ik eh… ik heb je hier gebracht,' zegt hij.
De ogen van het meisje spugen vuur.
'Jij?' zegt ze minachtend.
'Jij zat daar als een lijk tegen de muur.
Net als die oude man, trouwens.
Is hij soms bewusteloos?'
Tamal schudt zijn hoofd.
'Hij zit in zijn schaduw,' legt hij uit.
'Net als ik.
Ik zat ook in mijn schaduw.
We verhuisden van ons lijf naar onze schaduw.
Zo gingen we op pad.

De kolonel is nog niet terug.
Ik wel.
Ik ging terug in mijn lijf.
Dat was de draaikolk die je zag.'
Tamals mond klapt dicht.
Dit klinkt belachelijk!
Maar het meisje lacht niet.
Ze knijpt haar ogen tot spleetjes
en denkt aan wat ze gezien heeft.
'Dus…' zegt ze langzaam.
'Dus jouw schaduw bracht me hier?'
'Nee, ík bracht je hier,' zegt Tamal haastig.
'Ik bedoel… ik wás mijn schaduw.
Ik was de schaduw in de wijnkelder.
Ik eh… ik eet een soort kruid
en dan wordt mijn schaduw een superlijf.
Snap je?'
Hij struikelt bijna over zijn tong.
Het meisje knikt traag.
Tamal voelt bewondering voor haar.
Wat blijft ze koel!
Dit is een meid die op haar ogen vertrouwt
en haar hersens gebruikt.
Het meisje grinnikt.
Haar ogen schitteren.
Prachtige bruine ogen, ziet Tamal.
Het meisje zegt: 'Ik hou wel van een avontuur.
Dat kruid lijkt me geweldig.
En jij lijkt me niet gevaarlijk.
Waarom heb je me meegenomen?
Hoe deed je dat?'
Tamal wordt vuurrood.
Hij voelt hoe zijn oren gloeien.

Zijn hart bonst.
Help, ik word verliefd, denkt hij in paniek.
Ze heeft een hoop lef.
En ze is nog knap ook.
Wat een supermeid is dit!
'Ik heet Tamal,' stottert hij.
Het slaat nergens op.
Het is geen antwoord op haar vraag.
Het meisje lacht en zegt: 'Ik heet Tessa.
Ik woon in DE GEBRADEN KIP.
De waard is mijn vader.'
'Ik eh… ik was bang dat je zou gillen,' vertelt Tamal.
'Daarstraks, in de wijnkelder.
Daarom slokte ik je op.
Stel je voor dat je was gaan gillen.
Dan zou je vader komen met zijn lamp.
Schaduwen kunnen niet tegen licht.
Trouwens, ik was niet alleen bang voor de lamp.
Ik ben ook bang voor je vader.
Ik stond vroeger vaak voor jullie herberg.
Dan joeg hij me weg.
Liefst met een stok.'
Tessa bekijkt hem aandachtig.
'Je bent een straatjongen,' zegt ze.
'Mijn vader heeft een hekel aan straatjongens.'
Haar gezicht betrekt.
'En ik heb een hekel aan mijn vader.
Het is een bullebak.
Om vijf uur schopt hij me uit bed.
De rest van de dag jaagt hij me op.
Hij laat me schrobben en sjouwen.
Soms slaat hij me.
Ik ben blij dat ik daar weg ben.

Je hebt me gered.'
Ze buigt zich naar Tamal.
Die springt overeind.
Als ze hem nou maar niet gaat zoenen!
'Ik moet…' begint hij.
Opeens wordt het nog donkerder in de kamer.
Een zwarte gestalte verduistert het raam.
Er gluurt iemand naar binnen!

Ruzie

Tamal duikt weg onder het raam.
Hij gebaart naar Tessa.
Ze moet zich verstoppen.
Wie loert daar naar binnen?
Misschien is het een wachter van De Rat.
Of een schaduwmonster!
Tamal voelt een knoop in zijn maag.
Voorzichtig gluurt hij over de vensterbank.
Opeens ziet hij een straal inktzwarte duisternis.
Die stroomt door een kier in het raam.
Tamal springt achteruit.
Er dringt een schaduw naar binnen!
'Rennen, Tessa!' schreeuwt Tamal.
Zelf tijgert hij onder de tafel door naar de deur.
Achter hem wervelt de lucht.
Tamal grijpt de deurklink.
'Tamal!' brult de stem van kolonel Knoest.
'Wat moet dat?
Wat doet die griet in mijn huis?'
Tamal staat stil.

Hij laat de deurklink los.
Opluchting golft door hem heen.
De schaduw is geen spion van De Rat.
Het is de kolonel!
Maar zijn opluchting verdwijnt snel.
De kolonel is paars van woede.
'Vrouwen brengen ongeluk!' schreeuwt hij.
'Ik sla haar mijn huis uit!'
Kolonel Knoest hinkt dreigend op Tessa af.
Hij heft een van zijn krukken omhoog.
Maar Tamal springt vóór haar.
Hij roept: 'Nee!
Ik heb haar hiernaartoe gebracht.
Ze doet met ons mee.'
Tessa kijkt hem verbaasd en verrukt aan.
Dat hadden ze nog niet afgesproken.
Maar ze wil het heel graag.
De kolonel schreeuwt echter: 'Over mijn lijk!
Hoepel op, snertmeid.'
'Dan hoepelen we allebei op,' zegt Tamal boos.
'En ik neem al het Duister Kruid mee.'
Hij grist de bos Duister Kruid van de tafel.
'Kom mee, Tes,' zegt hij.
Hij doet een paar stappen naar de voordeur.
'Halt!' buldert de kolonel.
'We zijn hier niet in het leger,' zegt Tamal koeltjes.
'Commandeer uw vlooien maar.'
Hij drukt de klink omlaag.
De deur knarst open.
Kolonel Knoest slikt krampachtig.
Met gebulder wint hij het niet.
Het kan hem niet schelen als Tamal vertrekt.
Maar het Duister Kruid mag hij niet meenemen!

'Tamal,' zegt hij klaaglijk.
'Je bent toch mijn vriend.
Ga niet weg!'
Hij knarsetandt en voegt eraan toe: 'Alsjeblieft!'
Tamal doet de deur weer dicht.
Hij draait zich om.
'Zult u dan wat vriendelijker zijn voor Tessa?' zegt hij.
De kolonel trekt een gezicht als een onweerswolk.
'Ja,' gromt hij kwaad.
Tamals hand gaat weer naar de deurklink.
'Ja,' zegt de kolonel haastig, nu op vriendelijke toon.
Hij slijmt: 'Het komt omdat ik in het leger zat.
Daar zijn we geen vrouwen gewend.'
'Dan moet u er nu maar aan wennen,' zegt Tamal.
'Ze doet dus mee?'
De kolonel knikt
'Ze doet mee.'
Opeens flitst er een idee door zijn brein.
Een geweldig idee!
Het past precies in het plan dat hij bedacht heeft.
Zijn gezicht klaart op.
Vrolijk zegt hij nog een keer: 'Nou en of.
Ze doet mee.'

De avonturen van kolonel Knoest

Kolonel Knoest laat zich zakken op een stoel.
Voorlopig vertelt hij niets over zijn plan.
In plaats daarvan zegt hij: 'Ga zitten, jongelui.
Laten we een feestje bouwen.
Dat Duister Kruid is geweldig spul, Tamal.
Moet je zien!'
De kolonel wijst op het vieze aanrecht.
Tamals ogen worden groot.
Daar staan een fles wijn, een gebraden haan,
een brood en een homp kaas!
'Hoe komt u daaraan?' vraagt Tamal.
Maar opeens begrijpt hij het.
'Dat hebt u opgeslokt,' juicht hij.
Kolonel Knoest knikt.
Hij grinnikt: 'En weer uitgespuugd.
Normaal lust ik geen uitgespuugd eten.
Maar nu wel.'
Tamal heeft een razende honger.
Hij zet het eten op tafel en ze vallen aan.
Ze scheuren het brood en de haan uit elkaar.

Ze verdelen de homp kaas.
De eerste minuten hebben ze geen tijd om te praten.
Ze kauwen en slikken.
De wijn houdt de kolonel voor zichzelf.
'Die heb ik in geen eeuwen meer gehad,' zegt hij.

Eindelijk leunt Tamal met een zucht achteruit.
'U had vannacht meer succes dan ik,' zegt hij.
De kolonel grinnikt en wijst naar Tessa.
'Noem jij dat dan geen succes?' vraagt hij aan Tamal.
'Je hebt een liefje opgeduikeld.'
Tamal wordt knalrood.
'Ze is mijn liefje niet!' roept hij.
'Je kijkt anders wel verliefd,' pest de kolonel.
'Je loopt achter haar aan als een hondje.'
Tessa lacht.
'Laat hem kletsen,' zegt ze tegen Tamal.
'Ja, laat mij kletsen,' zegt de kolonel.
'Zal ik jullie vertellen wat ik vannacht heb beleefd?'
Tamal en Tessa buigen zich naar hem toe.
De kolonel vertelt:
'Ik stuurde mijn schaduw naar de rijke buurt.
Ik dacht: daar valt het meest te halen!
Het is erg grappig om een schaduw te zijn.
Je zweeft moeiteloos door de straten.
De honden rennen jankend voor je weg.
Na een tijd kwam ik voorbij het kerkhof.
Daar hoorde ik twee mensen ruzie maken.
De een schreeuwde: "De duivel hale je, Lena!
Wat kom je hier midden in de nacht doen?"
De vrouw huilde: "Bloemen leggen, Tom!
Op het graf van mijn man, jouw broer."
"Moet ik dat geloven?" vroeg Tom.

"Je haatte hem als de pest.
Weet je wat ik denk?
Je kwam het graf openbreken.
Je wilde zijn ringen stelen.
Vier mooie gouden ringen.
Een hele rijkdom, hè, lieve Lena?"
"Nee," jammerde de vrouw.
"Ik zweer het je, ik geef niets om goud!"
Maar Tom vroeg: "Waar zijn je bloemen dan, Lena?
En waar heb je die schep voor nodig?"
"Ik zweer het je," gilde het wijf.
"Ik wilde bloemen leggen, maar heb geen geld.
Daarom wilde ik een bos mooie bloemen stelen.
Ik wilde ze uitgraven op een donker hoekje.
Ik hield zielsveel van mijn man.
Dat zweer ik je bij zijn grafsteen.
Moge de duivel die opslokken als ik lieg!"'
De kolonel trekt een brede grijns.
'Die kans was natuurlijk te mooi.
Ik dook op achter het graf en slokte de steen op.
Je had die gezichten moeten zien.
Ik heb nog nooit een vrouw zo hard horen krijsen.
En volgens mij heeft die vent het in zijn broek gedaan.'
De kolonel, Tamal en Tessa schateren het uit.
'Waar hebt u die steen gelaten?' vraagt Tamal.
'Ik heb hem een eindje verderop uitgespuugd.
Bij de meubelmaker op de stoep.
Vind je het geen mooie reclame voor zijn bedden?
Rust in vrede!'
Weer brullen ze alle drie van het lachen.

De kolonel vertelt verder:
'Daarna werd het tijd om eten te zoeken.

In een van de huizen brandde nog licht.
Het was het huis van een rijke baron.
Die man is zó dik –
zijn koets wordt getrokken door acht paarden.
Hij eet dan ook voortdurend.
Ook nu zat hij te schranzen:
kaas, wijn, een gebraden haan en brood.
Ik schudde mijn schaduw-hoofd.
Je wordt veel te vet, kerel, dacht ik.
Het is mijn plicht je te helpen.
Dat eten zal niet in jouw mond verdwijnen.
Ik maakte van mezelf een dunne sliert
en glipte door het sleutelgat naar binnen.
Bij de tafel blies ik mezelf geweldig op.
Ik werd een reuzenschaduw.
De baron sprong met een gil van zijn stoel.
Hij wilde vluchten.
Maar waar kon hij heen?
Ik stond tussen hem en de deur.
Er was maar één uitweg: door het raam.
Het was een prachtige snoekduik.
Het glas spatte alle kanten op.
Maar die arme man was te dik.
Hij kwam klem te zitten!
Hij spartelde en krijste als een varken.
Volgens mij hangt hij er nog.
Nu móét hij wel stoppen met eten.
Anders komt hij nooit meer los.'

Tessa en Tamal komen niet meer bij van het lachen.
De tranen rollen over hun wangen.
Benauwd brengt Tessa uit:
'Ik kan niet wachten tot ik óók een schaduw ben!'

Tessa en Tamal gaan om een boodschap

De volgende dag zegt de kolonel:
'Ik heb een glazen kolf nodig.'
'Een glazen wát?' vraagt Tamal.
'Een glazen kolf,' zegt de kolonel.
'Dat is een soort bolle fles met een lange hals.
Ik heb een plan.
Voor dat plan heb ik een glazen kolf nodig.
En een brander.
En een partij lege flessen.
Ik leg nog wel uit waarom.
Flessen heb ik genoeg.
Maar zou jij de rest met Tessa willen kopen?
Ik kan met mijn manke poot niet sjouwen.'
Tamal haalt zijn schouders op.
'Tuurlijk.
Maar hebt u geld dan?
Ik heb geen duit.'
Kolonel Knoest grijnst.
Hij haalt een linnen zakje uit zijn jas.
Het rinkelt in zijn hand.

'Dit is de portemonnee van de dikke baron,'
zegt de kolonel.
'Die heb ik ook maar opgeslokt.
Ik dacht al dat die van pas zou komen.'

Even later lopen Tessa en Tamal door Volt.
Het is al laat in de middag.
Nog even en de zon gaat onder.
Eerst lopen ze door gore steegjes.
Daarna komen ze in het rijkere deel van de stad.
Daar zijn de huizen keurig geschilderd.
Ze staan trots langs een gracht met hoge bruggen.
Aan de muren hangen kleurige posters.
'Kijk,' zegt Tamal.
'Vannacht is er vuurwerk.'
Hij leest een van de posters voor:

VANDAAG IS DE KONING JARIG!
DAAROM ZAL ER EEN GROOT VUURWERK ZIJN
PRECIES OM MIDDERNACHT
BIJ DE STADSPOORT

'Dat vuurwerk kan me niet schelen,' lacht Tessa.
'Toch kan ik niet wachten tot het nacht is.
Dan voel ik hoe het is om een schaduw te zijn!'
Tamal kijkt bezorgd.
'Duister Kruid is verslavend,' zegt hij.
'Misschien kan een paar keer eten geen kwaad.
Maar wanneer kun je er niet meer afblijven?
Dat weet ik niet.'
'Hoe vaak heb jij het nu op?' vraagt Tessa.
'Twee keer,' zegt Tamal.
Tessa vraagt nieuwsgierig: 'En voel je al iets?

Denk je de hele tijd aan Duister Kruid?
Verlang je ernaar?'
Tamal schudt zijn hoofd.
'Gelukkig niet,' zegt hij.
'Weet je wat er gebeurt als je verslaafd raakt?
Dan kom je in de macht van De Rat!
De Rat is de enige die Duister Kruid heeft.
En De Rat is niet te vertrouwen.'
Tessa fronst.
'Duister Kruid is dus gevaarlijk.
Je kunt het beter helemaal niet eten.
Misschien moeten we het weggooien.'
Tamal is in tweestrijd.
Zijn ene helft roept: ja!
Zijn andere helft fluistert: nee.
De zon schijnt.
Het gevaar lijkt ver weg.
'Het is zo leuk om een schaduw te zijn,' zucht Tamal.
'Ik eet er nog één keer van.
Of misschien twee keer.
Ik wil met jou als schaduw door Volt zwerven.'
Hij kijkt Tessa aan en wordt rood.
Oei!
Als ze nou maar niet denkt dat hij verliefd op haar is!
Vlug zegt hij: 'Want dat is leuker dan in mijn eentje.'
Tessa lacht.
Ze knijpt Tamal in zijn arm.
'Ik vind je aardig,' zegt ze.
Nu wordt Tamal nog roder.
Hij weet niet waar hij kijken moet.
'Je lijkt wel een tomaat,' schatert Tessa.
'En jij een rare snijboon!' roept Tamal.
Hij prikt met zijn vinger in Tessa's zij.

'Niet kietelen!' gilt ze.
'Wel kietelen,' lacht Tamal vals.
Hij pakt haar beet en laat haar kronkelen.
Maar Tessa is sterk.
Ze wurmt zich onder Tamals handen uit.
Behendig pakt ze hem bij zijn oren
en dwingt hem te bukken.
'Au, au!' roept Tamal.
Hij grijpt Tessa's been en geeft een ruk.
Met een gil verliest ze haar evenwicht.
Ze wankelt achteruit.
Met een dreun botst ze tegen een man!
Tessa grijpt een lantaarnpaal beet.
Maar de man tuimelt schreeuwend in de gracht.
Het water spat hoog op.
Geschrokken kijken Tessa en Tamal over de rand
De man is kopje-onder gegaan.
Opeens duikt hij woedend op.
Hij schudt zijn vuist naar hen.
Hij scheldt en tiert.
Tessa steekt haar hand uit.
Ze wil hem uit het water trekken.
Maar plotseling grijpt Tamal haar beet.
Zijn gezicht is spierwit.
'Wegwezen,' gilt hij.
'Dat is een blauwe wachter.
Hij hoort bij De Rat!'

Kolonel Knoest heeft iets bedacht

Tamal en Tessa rennen weg.
Ze laten de wachter in de gracht spartelen.
Tamal zegt hijgend: 'Hij zat ons op de hielen.
We hebben stom geluk gehad.'
'De Rat zoekt je,' zegt Tessa.
'Hij wil vast zijn Duister Kruid terug.'
Terwijl ze rennen, kijken ze angstig rond.
Zijn er soms nog meer blauwe wachters?
Tamal wijst op de putten in de straat.
'We moeten oppassen!
Ik weet niet precies hoe het oude riool loopt.
Maar ze kunnen opduiken uit een put.'
Tessa schiet een doolhof van steegjes in.
'Wees maar gerust,' puft ze.
'Dit is een arme buurt.
Hier zit geen riool in de grond.'

Thuis zit kolonel Knoest na te denken.
Hij broedt op zijn plan.
Rond zijn mond speelt een sluw lachje.

Opeens schrikt hij op.

De deur van zijn huis knalt open.

Tessa en Tamal stormen naar binnen.

Tamal smijt de deur dicht.

Hij gaat er met zijn rug tegenaan staan.

'De Rat,' hijgt hij.

'De Rat wil ons te grazen nemen!'

Hij vertelt wat er is gebeurd.

De kolonel verstijft.

'Hebben ze jullie gevolgd?' vraagt hij.

'Weten ze waar jullie nu zijn?'

Tessa schudt haar hoofd.

'We hebben niemand meer gezien,' zegt ze.

'Mooi zo,' zegt de kolonel.

'We gaan de rollen omdraaien.

Wij gaan De Rat te grazen nemen.

Hij kan fluiten naar de macht.

Die is voor mij!'

De kolonel kijkt snel naar Tamal en Tessa.

'Ik bedoel… voor ons,' zegt hij haastig.

'Ik heb al een plan.

Daarvoor heb ik die kolf en zo nodig.

Waar hebben jullie alles?'

'Nergens,' zegt Tamal beteuterd.

'We moesten vluchten.'

Het gezicht van de kolonel betrekt.

Maar twee tellen later klaart het op.

'Ach,' zegt hij.

'Dat komt dan later wel.

Het belangrijkste is het Duister Kruid.'

Hij kijkt door het vuile raampje naar buiten.

Daar is het donker geworden.

De kolonel knikt tevreden.

Hij draait zich om en hinkt naar Tessa.
'Beste meid,' zegt hij opgewekt.
'Wil je me een plezier doen?
In het kamertje hierachter ligt ergens een boek.
Het is donkerblauw.
Het gaat over het oude riool van Volt.
Ik weet dat daar een plattegrond in zit.
Die hebben we nodig.
Wil jij het even halen?'
Tessa knikt verwonderd.
De kolonel is nog nooit zo vriendelijk geweest.
Ze loopt naar het kleine kamertje.
'Ik help wel even zoeken,' biedt Tamal aan.
'Nee, nee,' zegt de kolonel snel.
'Ik heb jou voor iets anders nodig.'
Ze kijken hoe Tessa het kamertje in verdwijnt.
Kolonel Knoest buigt zich naar Tamal.
'Dat boek is een smoesje,' sist hij.
'Het bestaat niet.
Bovendien hebben we zoiets niet nodig.
We vinden de weg wel in het riool.
Maar ik moest je even onder vier ogen spreken.
Luister, dat meisje zal ons goed van pas komen.
Ik wil iets met haar uitproberen.
Weet je wat ik heb bedacht?'
Tamal is helemaal overdonderd.
Hij schudt zijn hoofd.
Kolonel Knoest grijnst.
Hij zegt: 'Ik heb nagedacht over schaduwmonsters.
In fel licht lossen ze op.
Dat lijkt me geen ramp.
Ben je je schaduw kwijt?
Pech gehad.

Dan ben je voortaan een lijf zonder schaduw.'
De kolonel buigt zich nog verder naar Tamal.
Zijn adem stinkt naar wijn.
'Maar…' zegt hij.
'Kan het ook andersom?
Wat gebeurt er als je lijf doodgaat,
terwijl jij in je schaduw huist?
Je kunt niet terug naar een dood lijf.
Ben je dan voor altijd een schaduw zonder lijf?'

Een gruwelijk plan

Tamal staart de kolonel aan.
Daar heeft hij nog nooit aan gedacht.
Opeens herinnert hij zich iets.
Wat heeft De Rat ook weer verteld over het kruid?
Na een tijd is het uitgewerkt.
Tamal schudt langzaam zijn hoofd.
Hij zegt: 'Nee.
Je blijft niet voor altijd een schaduw.
Na een tijdje werkt het Duister Kruid niet meer.
Ik weet niet wat er dan met je gebeurt.
Misschien vervaag je wel.
Net zolang totdat je verdwenen bent.'
Kolonel Knoest kijkt naar de deur van het kamertje.
Daarachter horen ze Tessa stommelen.
De kolonel fluistert: 'Misschien hoeft dat niet.
Misschien kun je als schaduw blijven bestaan.
Vergelijk het eens met een olielamp.
Wil je niet dat de lamp uitgaat?
Dan moet je er af en toe nieuwe olie indoen.
Wil je niet dat je schaduw vervaagt?

Dan moet je af en toe Duister Kruid eten.
Alleen is er een probleem.
Om te eten heb je een lijf nodig.
Snap je me nog?'
Tamal knikt.
Hij zegt: 'Een schaduwmonster kan niet eten.'
De kolonel zegt met een sluwe knipoog:
'Daarom heb ik iets anders bedacht.
Ik wil Duister Kruid damp maken.
Misschien kan zo'n monster zich daarmee mengen!
Daarvoor heb ik die glazen kolf nodig.'
De kolonel grijnst duivels.
Zijn ogen gloeien.
'En weet je wat ik ga doen als dat lukt?' sist hij.
'Dan ga ik een leger vormen!
'Een leger dat me niks kost.
Schaduwen hoeven niet te eten en te drinken.
Ze hebben alleen wat damp nodig.
O wee als ze me niet gehoorzamen.
Dan mogen ze mijn kolf niet in.
Ik zal ze allemaal in mijn macht hebben!'
Tamal fronst.
'Hoe komt u aan schaduwen zonder lijven?' vraagt hij.
Opeens begrijpt hij het.
Hij wordt ijskoud.
Hij fluistert: 'U gaat kinderen vermoorden.
U vermoordt iedereen die Duister Kruid eet!'
Kolonel Knoest knijpt zijn ogen tot spleetjes.
'Ho ho, ik weet nog niet of mijn plan werkt.
Voorlopig vermoord ik er maar één...'
Opeens begrijpt Tamal wat de kolonel van plan is!
'Néé,' brult hij.
'Tessa!

Tessa, pas op!
De kolonel…'
Kolonel Knoest zwaait zijn vuist.

'Stommeling,' vloekt hij.
'Je verknalt het!'
Hij geeft Tamal een dreun in zijn gezicht.
Tamal knalt tegen de gootsteen en valt op de vloer.
Jammerend rolt hij over de planken,
zijn handen tegen zijn gezicht gedrukt.

De kolonel grist het Duister Kruid van de tafel.
Uit de keukenla graait hij een scherp mes.
De deur van het kamertje gaat open.
Tessa verschijnt in de opening.
Ze kijkt geschrokken de kamer in.
'Tamal, wat…' begint ze.
De kolonel beent op haar af.
Hij geeft haar een harde duw.
Ze vliegt achteruit het kamertje in.
De deur knalt dicht.
Een paar tellen blijft het doodstil.
Dan begint Tessa te gillen!

Het einde?

Tessa's gegil brengt Tamal weer bij zinnen.
Hij duikt op uit een mist van pijn
en wankelt naar de deur van het kamertje.
'Tessa!' schreeuwt hij.
'Tessa!'
Hij pakt de knop van de deur en rammelt.
De deur zit op slot.
Tamal bonst erop.
Hij brult: 'Doe open!'
Binnen klinken de geluiden van een gevecht.
Er vallen klappen en Tessa gilt weer.
Het gaat door merg en been.
'Tessa,' gilt Tamal.
Hij rukt aan de deur.
Maar die blijft potdicht.
Tamal vloekt wanhopig.
Alles hier in huis is gammel.
Behalve deze deur!

Opeens wordt het donker in de kamer.

Over de muur danst een zwarte gedaante.
Met een ruk draait Tamal zich om.
Hij schreeuwt.
Er stijgt een schaduwmonster op uit de gootsteen!
Dreigend glijdt hij op Tamal af.
Tamal deinst terug.
Ze hebben hem gevonden.
Dit is het einde.
Tessa en hij… ze gaan allebei dood.
Hij knijpt zijn ogen stijf dicht.
Maar er gebeurt niets.
Na een paar tellen doet hij zijn ogen weer open.
Het schaduwmonster glijdt langs hem.
Het verandert in een lange sliert.
En het zweeft onder de deur van het kamertje door!
Tamal kijkt met open mond toe.
Waarom valt het monster hem niet aan?
Wat gaat het doen?
Achter de deur klinkt een rauwe kreet.
Het is de kolonel.
Zijn schreeuw klinkt hoog van angst.
Plotseling breekt hij af.
Het wordt doodstil.
Een paar tellen later knarst er een sleutel.
Langzaam zwaait de deur open.

Een oude bekende

In de deuropening staat Tessa.
Ze is doodsbleek en ze wankelt.
Maar ze mankeert niets.
'Tamal,' fluistert ze.
'Tessa,' fluistert Tamal.
Hij probeert het kamertje in te kijken.
'Waar is dat... ding?'
'Achter me,' hijgt Tessa.
Er loopt een rilling over haar rug.
Ze durft niet om te kijken.
Opeens ziet Tamal het schaduwmonster.
Hij rijst als een zwarte schim op in het kamertje.
'Pas op!' roept Tamal.
Tessa krimpt in elkaar.
Maar het monster glijdt langs haar.
De donkere gestalte zweeft door de kamer.
Terwijl Tessa en Tamal verbluft toekijken
verdwijnt hij in het afvoerputje van de gootsteen.

Tamal en Tessa staren elkaar aan.

'Waarom pakt hij ons niet?' vraagt Tamal.
'Hij heeft de kolonel gepakt,' zegt Tessa rillend.
'Hij slokte hem in één tel op.
De kolonel bedreigde me met een mes.
Ik moest Duister Kruid eten.
Maar waarom bedreigde hij me, Tamal?
Ik wilde juist graag Duister Kruid!'
'Hij had een smerig plan,' zegt Tamal.
Snel vertelt hij Tessa het hele verhaal.
'Lieve help,' fluistert ze wanneer hij uitverteld is.
'Het was hem misschien niet gelukt,' zegt Tamal.
'Nu ik erover nadenk, is het een stom plan.
Je zou hem toch zeker hebben opgeslokt!'
Tessa schudt langzaam haar hoofd.
Ze zegt: 'De kolonel is sluw,
Hij had aan alles gedacht.
Op een tafeltje had hij wit poeder klaargelegd.
Nu snap ik wat dat was.
Het was magnesium.
Ik ken het van de fotograaf.
Soms komt er in onze herberg een fotograaf.
Bijvoorbeeld bij een trouwpartij.
Voor een foto heeft hij goed licht nodig.
Dat maakt hij door magnesium aan te steken.
Als je dat doet, krijg je een witte flits.
Het lijkt net bliksem.
Zo schakel je een schaduwmonster wel uit!'

Er wordt op de deur geklopt.
'Wie zou dat zijn?' zegt Tamal verschrikt.
'Misschien een blauwe wachter,' sist Tessa.
Maar een stem roept: 'Tamal!
Doe open, ik ben Timo.

Ken je me nog?'
'Timo?' zegt Tamal verbaasd.
'Dat is een jongen uit het riool.'
'Niet opendoen,' fluistert Tessa.
'Vlug, we moeten hier weg.
Kruip door het raam.'
Timo bonst op de deur.
Hij roept weer: 'Tamal, doe open.
Ik was de schaduw die jullie geholpen heeft.
Nu moeten jullie mij helpen.
Alsjeblieft!'
Het klinkt zo smekend dat Tamal toegeeft.
Hij loopt naar de voordeur en maakt die open.
Daar staat Timo.
Hij heeft kolonel Knoest bij zich!
De kolonel is woedend, dat zie je zo.
Maar hij durft zich niet te bewegen.
Timo heeft hem zijn mes afgepakt.
Hij houdt het dreigend tegen de keel van de kolonel.
Timo zegt: 'Vlug.
Sluit deze kerel op.
Ik moet jullie iets vertellen.'

Een afgrijselijke ontdekking

Kolonel Knoest wordt in het kamertje opgesloten.
Timo, Tessa en Tamal gaan rond de tafel zitten.
'Vertel op,' zegt Tamal.
'Waarom heb je ons geholpen?
En waarom moeten wij jou helpen?'
Timo slikt.
Hij vertelt: 'Ik moest van De Rat achter jou aan.
Je wist teveel.
Ik kreeg een wachter mee.
Onze opdracht was je te doden.
We moesten het gestolen Duister Kruid terugbrengen.'
Tamal wordt bleek.
Timo gaat verder: 'We zochten ons rot.
Twee dagen en een nacht zwierven we door Volt.
Overdag was ik mezelf.
's Nachts was ik een schaduwmonster.
Vanmiddag vonden we je eindelijk.
Maar het ging mis.
Dat meisje botste tegen de wachter.
Hij plonsde in de gracht.

Ik liet die sukkel rustig spartelen.
Ik volgde jullie.'
'Dus tóch…' zegt Tessa verbaasd.
'En we hebben nog wel zo goed opgelet.'
'Jullie hadden niets in de gaten,' vertelt Timo verder.
'Die achtervolging was een makkie.
Daarna wachtte ik tot het donker was.
Toen at ik Duister Kruid.
Ik maakte me klaar om binnen te dringen.
Voor een schaduwmonster is dat simpel.
Ik ging gewoon door de afvoerbuis.
Ik kroop tot onder het putje.
Maar toen hoorde ik stemmen.
De ene was van Tamal.
De andere praatte over een gruwelijk plan.'
Timo rilt.
Tamal glimlacht.
'Dat plan gaat nu niet door,' zegt hij.
'Dankzij jou.'
'Wees daar maar niet te zeker van,' zegt Timo.
'Hoezo?' vraagt Tessa.
'De kolonel zit veilig opgeborgen.
Hij kan niemand meer kwaad doen.'
'Híj niet,' zegt Timo met een ongelukkig gezicht.
'Maar iemand anders wél.'
Hij haalt diep adem.
'Toen ik het plan van de kolonel hoorde,
moest ik aan het oude riool denken.
Daar zijn rare dingen aan de gang.
Dingen die ik niet snapte.
Maar nu begrijp ik hoe het zit.
Volgens mij heeft De Rat hetzelfde plan.'

Tessa en Tamal fronsen hun wenkbrauwen.
'Waarom denk je dat?' vraagt Tamal.
Timo zegt: 'Ons leger groeit.
Maar De Rat laat de voorraadkamers afbreken.
Het zijn niet langer kamers vol eten.
Hij maakt er velden vol Duister Kruid van.'
Tessa fluistert: 'Schaduwen hoeven niet te eten.'
Timo knikt heftig.
'Precies.
Maar ik heb nog meer gezien.
Op een dag rook ik een zoete lucht.
Die kwam uit een afgesloten kamer.
Ik loerde door het sleutelgat.
In de kamer stond De Rat.
Hij was bezig met een glazen kolf.
Er brandde een vuurtje onder
In de kolf borrelde groen spul.
Het dampte en stoomde.
En die damp rook naar… Duivels Kruid.'
Tessa en Tamal staren Timo aan.
Ze kunnen geen woord uitbrengen.
Timo zegt kreunend: 'Snap je?
Het leven van alle straatjongens is in gevaar.
De Rat gaat ons vermoorden!'
'Ik vertrouwde hem al niet,' zegt Tamal dof.
'Met zijn mooie verhaal dat hij ons helpen wil…'
Tessa roept schel: 'Het is nog niet zover.
Jullie kunnen toch gewoon weglopen?'
Timo schudt zijn hoofd.
'We zijn verslaafd,' fluistert hij.
'Dat weet De Rat.
Hij heeft ons in zijn macht.
We kunnen nergens anders Duister Kruid krijgen.

We komen altijd weer naar hem terug.'
'Dan zit er maar één ding op,' zegt Tamal grimmig.
'We moeten De Rat aanvallen.'

Ten aanval!

Timo en Tessa zijn het met Tamal eens.
'Kom mee,' zegt Timo.
'Dan zoeken we hem op.'
Ze verlaten het huis van kolonel Knoest.
Snel glippen ze door de straten.
Bij een putdeksel stopt Timo.
'Hier kunnen we het riool in,' zegt hij.
Hij trekt het deksel omhoog.
Opeens zegt Tessa: 'Stil eens.
Ik dacht dat ik iets hoorde.
Achter ons.'
Met z'n drieën turen ze in het donker.
Maar ze zien niets.
Timo lacht haar uit.
'Je hoeft geen smoes te bedenken,' zegt hij.
'Je mag gewoon zeggen dat je niet durft.'
'Ik durf wél,' sist Tessa.
'Maar er was daarginds een geluid.'
Timo haalt zijn schouders op.
Hij zegt: 'Misschien hoorde je geluiden van het feest.

Bij de stadspoort is een feest aan de gang.
De koning is vandaag jarig.'
Tamal knikt.
'We zagen een poster.
Daar stond het op.
Om middernacht zal er een vuurwerk zijn.'
'Had ik maar een van die pijlen,' bromt Timo.
'Dan schoot ik De Rat naar de maan!'

Ze laten zich zakken in het riool.
Timo kent er de weg op zijn duimpje.
Door pikdonkere tunnels soppen ze voort.
Klamme lucht stroomt langs hen.
Die voert de stank van rottende dingen mee.
Tamal rilt.
Hij heeft wel eens bij een dood paard gestaan.
Dat rook precies zo.
Is De Rat soms al begonnen met moorden?
Liggen er dode straatjongens in de tunnels?
Tamal wordt misselijk.
Opeens komt er een gedachte in hem op.
Hij denkt: gaat het altijd zo met macht?
Moet je moorden om macht te hebben?
Tamal balt zijn vuisten.
Hij wil De Rat verslaan.
Hij wil het Rijk van Schaduw overnemen.
Daar droomt hij van.
Maar wil hij het echt?
Wil hij een rijk van angst en bloed?
Hij denkt aan Tessa.
Wat was ze bang toen de kolonel haar wilde doden.
En Tamal zelf…
Hij voelt weer hoe radeloos hij was.

Hij hoorde haar gillen en kon niets doen!
Zou hij dit andere mensen willen aandoen?

Opeens voelt Tamal een hand op zijn schouder.
Hij maakt een sprong van schrik.
'Niet schrikken,' fluistert Tessa in zijn oor.
'Ik ben het.'
'F… fijn dat je het even zegt,' stottert Tamal.
Zijn hart bonkt in zijn keel.
'Ik hoor nog steeds iets achter ons,' zegt Tessa.
'Het klinkt als: pok… pok… pok…
Hoor jij het ook?'
'Het zal de echo wel zijn,' bromt Tamal.
'De echo van onze eigen voetstappen.'
Hij spitst zijn oren.
Maar net op dat moment sist Timo: 'Pas op.
We komen in de buurt van het lab.'
'Het lab?' vraagt Tessa.
'Wat is een lab?'
'Lab is de afkorting van laboratorium,' zegt Timo.
'Dat is een werkplaats voor scheikundige dingen.'
Hij snuift.
'Ruik je dat?
Er hangt hier een zoete lucht.
Ik wed dat De Rat in zijn lab is.
Hij experimenteert weer met damp!'
Tessa en Tamal ruiken het ook.
'Hij werkt daar meestal alleen,' weet Timo.
'We boffen.'
'We nemen hem in zijn lab te grazen,' gromt Tamal.
'Hoe pakken we het aan?' vraagt Tessa.
Timo fluistert: 'We steken hem overhoop.
In zijn lab liggen scherpe messen.

Ik heb geen medelijden met die vent.
Dat heeft hij ook niet met ons.'
Tamal heeft een ander idee.
Hij zegt: 'We kunnen toch Duister Kruid eten?
Ik heb mijn zakken ermee volgestopt.
Allemaal meegenomen uit het huis van de kolonel.
We veranderen onszelf in schaduwmonsters.
Dan zijn we De Rat zeker de baas!'
Timo zegt langzaam: 'Nee, dat denk ik niet.
De Rat is niet gek.
Hij werkt altijd in fel licht.
Daarin houdt geen schaduwmonster het uit.'
'Dan voeren we Timo's plan uit,' zegt Tessa.
Ze beent de tunnel in.
De anderen komen achter haar aan.
Uit een zijtunnel komt een zwak schijnsel.
'Die kant op,' fluistert Timo.
Ze slaan een bocht om.
Vlakbij een deur blijven ze staan.
De deur staat op een kier.
Binnen klinkt gerammel van glas.
'Wat een mazzel,' sist Timo.
'De deur is niet op slot.
Maar… dat is wel raar.
Er brandt maar één olielamp.
Normaal branden er wel tien.'
'Misschien is De Rat pas net daar,' fluistert Tessa.
'Hoor je het rinkelen van het glas?
Volgens mij steekt hij juist zijn lampen aan.
Des te beter.
We verrassen hem totaal.'
'De messen staan in een blok op tafel,' vertelt Timo.
'Links van de deur.

Ik moest het lab een keer schoonmaken.
Daarom weet ik het.'
'We springen tegelijk naar binnen,' zegt Tessa.
'Ik tel tot drie.
Een… twee…
DRIE!'

Brand!

Timo smijt de deur open.
Ze springen achter elkaar naar binnen.
De Rat staat met zijn rug naar hen toe.
Verrast draait hij zich om.
Hij ziet Timo met een mes staan.
'Timo,' roept hij.
'Wat...'
Dan ziet hij Tessa en Tamal.
Hij fronst zijn wenkbrauwen.
'Jou ken ik,' snauwt hij tegen Tamal.
Hij brult: 'Grijp dat rotjoch!
Grijp ze alle drie!'
Tamal verstijft.
Voor wie was dat commando bedoeld?
De Rat is alleen.
Of toch niet?
Schuin achter zich ziet Tamal een beweging.
Hij draait zijn hoofd om.
Dan schreeuwt hij het uit.
Twee schaduwmonsters maken zich los uit de hoek!

Eén van hen blokkeert de uitgang.
De ander glijdt dreigend op de drie vrienden af.
Die deinzen terug.
Ze botsen met hun rug tegen de tafel met messen.
Maar messen helpen niet tegen schaduwmonsters.
'Tamal, het Duister Kruid, vlug!' gilt Tessa.
'Dan vechten we als schaduwen tegen schaduwen!'
Maar het is te laat.
De schaduwmonsters vallen aan.
Met een gil duikt Tamal opzij.
Zijn arm maait de olielamp van tafel.
Die zeilt door de lucht.
Met een klap raakt hij de muur.
Hij springt in honderd scherven.
Brandende olie spat alle kanten op.
Een zak vol Duister Kruid vat vlam.
Net als het stro op de vloer.
Het vuur likt aan de tafelpoten
en springt over naar een rij kisten.
Dan gebeurt het.
Er klinkt een daverende klap.
Een van de kisten ontploft!
Een enorme steekvlam schiet de lucht in.
Het felwitte licht lost de schaduwmonsters op.
De ontploffing werpt Tamal van zijn voeten
en smijt hem tegen de muur.
Verdoofd ziet hij Timo door de lucht vliegen.
Het regent brandende brokstukken.
Tessa gilt.
Haar haren hebben vlam gevat.
Met een sprong is Tamal bij haar.
Hij slaat het vuur met zijn blote handen uit.
De kamer vult zich met vette zwarte rook.

'Wegwezen,' brengt Tamal hoestend uit.
'Vóór er nog meer ontploft.'
In de rook doemt een schim op.
'Timo, hierheen!' brult Tamal.
'Je vriendje Timo is klaar voor de barbecue,'
sist een stem.
'Hij ligt bewusteloos onder de tafel.
Maar ik wil best met jullie mee.'
Een hand neemt Tamal in een ijzeren greep.
Het is De Rat!
Hij sleurt Tamal en Timo de tunnel in.
De twee kronkelen en schoppen.
Maar De Rat is vreselijk sterk.
Hij snauwt: 'Ik zal jullie krijgen.
Vuile samenzweerders.
Ik smijt jullie in de rattenput.'
Tessa gilt en probeert De Rat te bijten.
Als bij toverslag verschijnt er een mes in zijn hand.
Hij zet het op haar keel.
'Handen omhoog,' bijt hij Tamal toe.
'En loop voor me uit.
O wee als je gekke dingen uithaalt.
Dan snijd ik dit mooie keeltje door.'
Op Tessa's vel verschijnt een straaltje bloed.
Met bibberende benen loopt Tamal voor De Rat uit.
Achter hen klinken nog twee ontploffingen.
De grond dreunt onder hun voeten.
Rook kolkt door de tunnel.
Om hen heen galmen rennende voetstappen.
Mensen gillen: 'Brand, brand!'
Tamal kijkt om.
Hij ziet het gezicht van De Rat.
Het is vertrokken van haat.

107

Tamal strompelt door het riool.
Timo is dood, denkt hij.
En wij bijna.

Wraak!

De Rat drijft Tamal voor zich uit.
Hij duwt hem de Dodentunnel in.
Tamals gezicht is grauw
En hij weet wat hij kan doen.
De Rat heeft Tessa in zijn macht.
Het mes krast over haar keel.
Straaltjes bloed lopen langs haar hals.
'Lopen,' krijst De Rat.
'Lopen!'
Ze struikelen door het halfdonker.
Bij de put houden ze halt.
De Rat trekt een duivelse grijns.
'Jij mag als eerste,' zegt hij tegen Tamal.
'Loop naar de rand.'
'Nee,' smeekt Tamal.
De Rat schreeuwt: 'Loop naar de rand!'
Hij drukt op het mes.
Tessa gilt het uit.
Tamal wankelt naar de rand van de put.
Een flakkerende toorts werpt wat licht.

In het schijnsel ziet Tamal de ratten krioelen.
Hun ogen glinsteren rood.
Hun venijnige tanden blinken.
Als ze Tamal zien, piepen ze opgewonden.
Tamal doet misselijk een stap achteruit.
'Spring!' krijst De Rat.
Hij grijpt Tessa bij haar haren beet.
Dan haalt hij het mes van haar keel.
Hij zwaait het in de richting van Tamal.
Opeens klinkt er een geluid achter De Rat.
Iemand brult: 'Rolf!'
Er gaat een schok door De Rat.
Hij laat het mes bijna vallen.
Met een ruk draait hij zich om.
Uit de tunnel doemt een man op.
Hij hinkt.
Zijn gezicht is vertrokken tot een afzichtelijk masker.
De man gilt: 'Ik heb je gevonden, verrader!'
Tamal kan zijn ogen niet geloven.
Daar staat kolonel Knoest.

'Sigurd,' stamelt De Rat verbluft.
Hij laat van verbazing Tessa los.
Die grijpt haar kans.
Ze duikt het donker in.
Tamal springt achter haar aan.
Samen hurken ze tegen de muur.
Tamal fluistert ongelovig:
'De Rat is majoor Rolf Sulfiet!
De majoor die kolonel Knoest verraadde.'
'Dát hoorde ik steeds achter ons,' hijgt Tessa.
'Het getik van zijn krukken.
De kolonel moet zijn ontsnapt.

Hij kwam natuurlijk achter ons aan vanwege het kruid.
En nu vindt hij de man die hij haat.'
Met bonkend hart staren ze naar de twee vijanden.
'Sigurd Knoest,' herhaalt De Rat ongelovig.
'Dus je kent me nog,' sist de kolonel.
Hij hinkt op zijn krukken naderbij.
'De Ravenrots, weet je nog?
Eindelijk heb ik je, smeerlap.
En nog wel op zo'n mooie plek.
In een riool, bij een put vol ratten.
Precies waar je thuishoort.'
De Rat likt zijn lippen.
'Oude kameraad,' probeert hij.
'Ben je nog steeds bitter om het verleden?
Het was een afschuwelijk misverstand.
Dat heb ik je toch uitgelegd?
Ik...'
De kolonel schuimbekt.
Hij gilt: 'Jij hoopte dat ik dood was!
Maar dat ben ik niet.
De enige die hier doodgaat, ben jij.
Spring!
Spring in die put en laat de ratten je opvreten!'
'Wacht, luister toch,' slijmt De Rat.
'Ik kan het goedmaken met je.
Binnenkort ben ik de machtigste man in Volt.
Als je wilt, delen we de macht.'
De kolonel krijst: 'Ik deel niks met verraders!'
Nu heeft De Rat er genoeg van.
Hij zwaait met zijn mes en brult:
'Sterf dan, dwaas!'
Maar kolonel Knoest is niet zo zwak als hij lijkt.
Bliksemsnel heft hij een van zijn krukken omhoog.

Hij stoot De Rat in zijn maag.
De schurk wankelt achteruit naar de put.
Met een gil verdwijnt hij over de rand.

In het nauw

Met een klap raakt De Rat de bodem van de put.
Er klinkt een luid gepiep.
De ratten vallen aan!
De Rat brult het uit.
Zijn radeloze kreten galmen door het riool.
Het gekrijs is haast niet menselijk meer.
Kolonel Knoest kijkt over de rand van de put.
Hij grijnst van oor tot oor.
Zijn wraak is zoet.
Maar Tamal sluit zijn ogen.
De Rat is een valse smeerlap.
Maar dit lot gun je niemand.
Plotseling stoot Tessa hem aan.
'Wat heeft de kolonel?' sist ze.
Tamal tuurt door het halfdonker.
Hij ziet kolonel Knoest terugdeinzen.
Zijn ogen puilen uit.
'Nee... nee,' hijgt hij.
Uit de put kolkt een zwarte massa.
In een paar tellen groeit die uit tot een reus.

Het is een schaduwmonster!
Het komt dreigend op kolonel Knoest af.
Die graait in de zak van zijn jas.
Hij trekt er een stengel Duister Kruid uit
en begint hem in zijn mond te proppen.
Maar het is te laat.
Het schaduwmonster laat zich op hem vallen.
Opeens is de kolonel verdwenen.
Opgeslokt!

Tessa en Tamal hebben vol afgrijzen toegekeken.
'De Rat,' brengt Tamal schor uit.
'De Rat is in zijn schaduw gekropen.'
'Maar hij heeft geen lijf meer,' fluistert Tessa.
'De ratten hebben hem in duizend stukjes gescheurd.'
Ze rilt bij het horen van het geluid uit de put:
het geluid van een lichaam dat wordt opgegeten.
Tamal huivert.
Hij sist: 'De Rat is wanhopig.
Wanhopig en razend.
Dat maakt hem gevaarlijker dan ooit.'

Ze duiken nog dieper weg in het donker bij de muur.
Hopelijk is De Rat hen vergeten.
Tamal hoort een zacht geritsel in zijn zak.
Dat is waar ook.
Hij heeft nog Duister Kruid!
Snel buigt hij zich naar Tessa's oor.
'We eten Duister Kruid,' fluistert hij.
'Het is de enige manier om onszelf te redden.'
Tessa knikt.
Op de tast eten ze ieder vijf blaadjes.
Tessa's ogen gaan wijd open.

Alles tintelt en bruist.
Met een schok verhuizen ze naar hun schaduw.
Wauw, roept Tessa opgewonden.
Dit is cool!
Sst, sist Tamal geschrokken.
Maar De Rat heeft haar al gehoord.
Voor mensen was haar kreet niet te verstaan.
Maar voor andere schaduwen wel!
Nu heb ik jullie, brult De Rat.
Lastpakken!
Zijn schaduw groeit en wordt zwarter.
Hij stort zich op Tamal en Tessa.
Die reageren bliksemsnel.
Ze rekken zich uit tot een dunne sliert
en glijden onder een stapel puin.
De Rat slokt de stapel op,
Maar Tessa en Tamal zijn al aan de andere kant.
Ze vluchten de tunnel in.
Naar de brand! roept Tamal.
In de zwarte rook ziet hij ons misschien niet.
Ze flitsen door de stenen gang.
De Rat komt woedend achter hen aan.
Gelukkig denkt hij niet aan hun lichamen.
Die liggen nog in de tunnel.
Hij haalt ons in, gilt Tessa.
Tamal heeft een idee.
Doe precies wat ik doe, zegt hij.
Hij maakt zichzelf zo klein als een vleermuis.
Zo drukt hij zich tegen het plafond.
Tessa doet hetzelfde.
Een paar tellen later raast De Rat onder hen door.
Hij heeft niets in de gaten.
Een eind verderop houdt hij in.

Zoekend kijkt hij in het rond.
Nu! sist Tamal.
Ze groeien weer en glippen een zijtunnel in.
Jammer genoeg ziet De Rat hen.
Brullend van woede draait hij zich om.
Hij zit hen alweer op de hielen.
Dreigend steekt hij zijn klauw uit.
Tamal schiet een andere tunnel in.
Hij sleurt Tessa met zich mee.
Als één schaduw stuiven ze voort.
Regelrecht een wolk vette zwarte rook in!
Verderop in de gang klinkt geknetter.
Brand, roept Tamal.
Het hele riool staat in de fik.
Het stro, de vlonders, de stutten…
Alles brandt als een lier.
We moeten wegblijven van de vlammen.
Het licht daarvan is misschien te fel.
Maar de rook helpt ons.
Nu kunnen we een voorsprong nemen!
Tessa schudt haar hoofd.
Tamal, stop, roept ze.
Vroeg of laat haalt De Rat ons in.
We moeten een list bedenken.

Vuurwerk!

Het is waar wat Tessa zegt.
Ze moeten een list bedenken.
De Rat is woedend.
Hij jaagt hen nu tot het eind van de wereld!
Midden in de wolk vette rook stoppen ze.
Tessa zegt spijtig: *Hadden we maar magnesium.*
In het huis van de kolonel lag genoeg.
Tamal haalt zijn schaduwschouders op.
Daar zouden we niets aan hebben.
Bij zo'n felle vlam lossen we zelf ook op.
Bovendien… hoe zouden we het moeten aansteken?
Tessa slaakt een kreet.
Ik heb het! roept ze.
Om middernacht barst het vuurwerk los.
We moeten De Rat naar de stadspoort lokken.
Het riool komt daar uit op het open water.
De Rat zal ons woedend achterna stuiven.
Hij is buiten voor hij het in de gaten heeft.
Maar wij verschuilen ons op het laatste nippertje.
Tamal is vol bewondering.

Dat moet lukken, zegt hij.
En dan lost hij op en wij niet.
Een regen vonken spat langs het plafond.
De rook wordt een momentje dunner.
Achter Tessa en Tamal klinkt een wilde kreet.
Kom mee! roept Tamal.
De Rat heeft ons gezien!

Tessa en Tamal rennen voor hun leven.
Ze zigzaggen door de tunnels van het riool.
Tessa heeft een goed gevoel voor richting.
Zelfs onder de grond kan ze de weg vinden
en ze gaat voorop naar de stadspoort.
Met veel moeite blijven ze De Rat voor.
Eén keer kunnen ze maar net aan hem ontsnappen.
Ze duiken in de broekzak van een straatjongen.
Die rent weg voor de brand.
Tessa en Tamal liften een eindje met hem mee.
We moeten eruit, zegt Tessa na een tijdje.
Anders is De Rat ons kwijt.
We willen hem toch meelokken?
Dan moet hij ons kunnen zien.
Dat is waar.
Met tegenzin zwellen ze weer op.
De straatjongen schrikt zich rot.
Er komen twee schaduwmonsters uit zijn zak!
Hij rent gillend weg.
De Rat hoort het gegil.
Hij ziet de twee schaduwen die hij zoekt.
En verder gaat het weer.
Na een half uur komt de stadspoort in zicht.
De tunnel eindigt in een halve boog.
Daaronder schitteren sterren.

Vroeger liep het rioolwater hier de gracht in.
Hoe laat is het eigenlijk? vraagt Tessa zich af.
Stel je voor dat het pas elf uur is.
Dan mislukt ons plan.
Tamal balt zijn vuisten.
Hij schiet door het riool als superman.
We hebben geen keus! schreeuwt hij.
Het is erop of eronder!
Zij aan zij stuiven ze het riool uit.
Bij de stadspoort staan honderden mensen.
Ze turen in de nacht en wachten op het vuurwerk.
De torenklok begint te slaan.
Een, twee, drie, telt Tessa de slagen.
Achter hen raast De Rat het riool uit.
Ik heb jullie! brult hij triomfantelijk.
Hij strekt zijn armen.
Zeven, acht, telt Tessa.
Nu! schreeuwt ze.
Tamal en zij zwenken plotseling.
De Rat heeft te veel vaart.
Verrast vliegt hij rechtdoor.
Als een kanonskogel schiet hij de lucht in.
Tessa en Tamal maken een wijde bocht.
Ze stormen terug naar het riool.
Tien, elf... telt Tessa.
Ze spitst angstig haar oren.
Is het elf uur, of...?
De twee duiken de tunnel weer in.
Op dat moment slaat de klok voor de twaalfde keer!
Er klinkt een hoog, gierend geluid.
De eerste vuurpijl ontploft in een zee van fel wit licht.

Ontsnapt

Hoera, juicht Tessa.
Dat was het einde van De Rat!
Tamal knikt.
En van de kolonel, zegt hij.
Die zat immers ín De Rat.
Tessa snuift.
Ze heeft geen medelijden met kolonel Knoest.
Hij wou me vermoorden, zegt ze.
Boven hun hoofd ontploffen de pijlen.
De mensen joelen.
We moeten snel terug, zegt Tessa.
Of ons lijf wordt ginds als een worstje gebraden.
Dat is waar ook.
Steeds meer tunnels staan in brand.
Soms klinkt er een ontploffing.
De Rat moet ook wapens hebben gehad.
En buskruit.
Straatjongens en wachters stromen het riool uit.
Ze hebben het blussen opgegeven.
Schreeuwend vluchten ze voor het vuur.

Ze duwen, stompen en dringen.
De tunnels raken verstopt.
'Daar is Adam,' wijst Tamal.
'Hij kwam tegelijk met mij in het riool terecht.'
Gelukkig kunnen schaduwen vliegen.
Tessa en Tamal vliegen over de hoofden.
Ze hebben geen last van de stroom vluchtelingen.
Algauw zijn ze terug bij de rattenput.
Hun lijf is niet beschadigd.
Ze glippen door hun neus naar binnen.
'Snel!' roept Tamal en hij springt op.
'We moeten weg voor het vuur ons insluit.'
Ze rennen door de Dodentunnel terug.
Dit deel van het riool is verlaten.
Geen wonder.
In de tunnels hangt de gloed van vlammen.
Zwarte rook kolkt door de lucht.
Het wordt heter en heter.
Tamal hoest terwijl hij een bocht omgaat.
Hij deinst terug.
Voor zijn neus laait het vuur!
'Daar, een zak Duister Kruid!' roept Tessa.
Ze wijst op een zak die langs de muur staat.
'Iemand heeft hem laten staan.
Hij brandt nog niet.
Zullen we hem meenemen?'
Tamal aarzelt.
Duister Kruid is macht!
Het duurt niet langer dan één tel.
Dan haalt hij uit met zijn been.
Hij schopt de zak de vlammen in.
'Rotzooi,' bromt hij.
Het vuur laait op.

Vonken spatten door de lucht.
Het Duister Kruid verbrandt met een zoete geur.
Opeens herkent Tamal de plek waar ze staan.
'Hier ergens gaat een trap omhoog!' roept hij.
Hij tast rond in de dichter wordende rook.
Ja!
Zijn hand glijdt langs een verroeste beugel.
Tien tellen later staan Tessa en hij op straat.

Tamal heeft een plan

'We gaan naar het huis van de kolonel,' zegt Tamal.
'Hij is er niet meer.
Dus wij kunnen daar best gaan wonen,
Of wil je terug naar je vader?'
Tessa klemt boos haar lippen op elkaar.
'Nooit,' zegt ze.
'Ik wil bij jou blijven.'
Ze stompt Tamal tegen zijn arm.
Die stompt vrolijk terug.
'Ik heb iets bedacht,' zegt hij.
'Wat dan?' vraagt Tessa.
Tamal vertelt: 'Het riool brandt helemaal uit.
De Rat is dood.
De straatjongens staan weer op straat.
De Rat was gemeen.
Maar hij gaf ze wel te eten.
Hij beloofde ze een toekomst.
Nu hebben ze niemand meer.
De politie jaagt weer op hen.
De mensen slaan hen in elkaar.

Maar hebben straatjongens soms geen rechten?
Recht om te eten?
Recht om te leven?'
Tessa knikt enthousiast.
Ze zegt: 'En recht om naar school te gaan.'
'Hm,' bromt Tamal.
Dat lijkt hem niets.
Hij bedenkt snel een smoes en zegt:
'Geen meester wil zo'n smerige jongen op school.'
Tessa grinnikt en zegt beslist:
'Daarom hebben straatjongens óók recht op een bad.'
Tamal rilt.
'We zien nog wel,' zegt hij snel.
'Wat ik bedoel, is…
Ik heb eens nagedacht.
Eerst wilde ik macht.
Ik wilde de machtigste man van de wereld worden.
Je kunt dan doen wat je wilt.
Je wordt rijk en alles verandert!
Maar ik heb gezien hoe macht werkt.
De Rat, de kolonel, zelfs jouw vader…
Allemaal wilden ze macht.
En wat gebeurde er?
Eén was de baas en de rest werd de klos.
Ik heb er mijn buik van vol.'
Ze lopen voort door de donkere straat.
Tessa schopt nadenkend een steentje weg.
'Hm,' zegt ze.
'De baas zijn is wel leuk.
De klos niet.'
Tamal gaat verder: 'Ik heb nog iets gezien:
met een groep ben je sterk.
De Rat alleen was niks.

Gewoon een miezerig mannetje.
Hij had een bende straatjongens nodig.
Dat gaf hem pas macht.
En dat brengt me op een idee.'
'Je wilt toch geen macht meer?' vraagt Tessa verbaasd.
'Geen gemeen soort macht,' zegt Tamal.
'Geen macht waarbij anderen de klos worden.
Wél macht om dingen te veranderen.
De politie moet stoppen ons te vermoorden.
We moeten goed behandeld worden.
We hebben recht op eten.'
'En op school,' pest Tessa.
'Kreng!' roept Tamal.
Hij kietelt haar.
Tessa kronkelt en gilt.
Ze hikt: 'En recht op water en zeep!'

Opeens klinkt er een geluid bij hun voeten.
Eerst een bons.
Dan het geschraap van ijzer.
Tamal en Tessa verstijven.
'Dat komt uit het riool,' sist Tessa.
Ze wijst op een putdeksel.
Het schuift over de straatkeien.
Iemand wrikt het open!
Tamal krijgt kippenvel.
'Er komt iemand uit,' gromt hij.
Snel kijkt hij om zich heen.
Is er iets wat hij als wapen kan gebruiken?
Tessa smoort een gil.
Een zwarte schim rijst op uit de put!

Straatjongens aan de macht!

'Een schaduwmonster!' schreeuwt Tamal.
'Wegwezen!'
Hij pakt Tessa beet en sleurt haar mee.
Maar zij roept: 'Nee, wacht!
Het is geen schaduwmonster.
Het is Timo.
Hij is helemaal zwart!'
Verbluft blijft Tamal staan.
Hij tuurt naar de donkere gestalte.
Tessa heeft gelijk.
Het is Timo.
Hij is van top tot teen bedekt met roet.
'Timo!' roept Tamal blij.
'We dachten dat je dood was.'
Timo trekt een pijnlijke grijns.
'Dat scheelde niet veel,' zegt hij.
'Het was een hel in dat lab.
Iemand trok me uit de vlammen.
Mijn vel is geroosterd.
Maar ik overleef het wel.'

Timo strompelt naar zijn vrienden.
'Maar jullie?' vraagt hij.
'Ik dacht dat jullie waren opgevreten door de ratten.'
'Dat scheelde óók niet veel,' zegt Tessa.
Ze vertelt Timo van hun avonturen.
Ze eindigt met: 'Dus De Rat is dood.
Hij heeft geen lijf meer.
En geen schaduw.'
Timo knikt langzaam.
'Dat is geen groot verlies,' zegt hij.
Zijn gezicht wordt somber.
'Maar al het Duister Kruid is verbrand.
Dat is wél een groot verlies.'
Timo is verslaafd, beseft Tamal.
Net als al die andere jongens.
Hij schraapt zijn keel.
'Ik heb een plan,' zegt hij.
'We vormen een groep.
Wie wil, mag erbij.
Ons hoofdkwartier is het huis van de kolonel.
Er is er niet één de baas.
We zijn allemaal een beetje de baas.
We laten ons niet meer zoet houden met kruid.
We kicken af en eisen onze rechten.'
Timo's ogen glinsteren.
'Afkicken zal niet makkelijk zijn,' zegt hij.
'Maar je plan is super.
Samen zijn we sterk!'

Tessa geeft een gil.
'Wat nou weer?' vraagt Tamal geschrokken.
'Je schaduw!' roept Tessa.
Ze wijst naar de straat.

Ze kijken alle drie.
Tamals ene been is verdwenen!
'Oeps,' zegt hij beduusd.
'Dat was zeker nog buiten toen het vuurwerk begon.'
'Het is je schaduw maar,' troost Timo.
Hij grijnst breed.
'Dat is je aandenken aan het riool:
een halve schaduw...
...en een heel liefje!'
'Niet waar!' roepen Tamal en Tessa tegelijk.
Maar ze krijgen allebei een kop als vuur.